Rosamunde Pilcher

O Carrossel

Tradução

Daniel Angelo de Oliveira

Kenilda Mendes
Abril. 2.000

BB
BERTRAND BRASIL

Título original: *The Carousel*

Capa: Leonardo Carvalho
Editoração eletrônica: Imagem Virtual

2000
Impresso no Brasil
Printed in Brazil

CIP-Brasil. Catalogação-na-fonte
Sindicato Nacional dos Editores de Livros, RJ.

P686c Pilcher, Rosamunde, 1924–
O carrossel / Rosamunde Pilcher ; tradução Daniel Angelo de Oliveira. — Rio de Janeiro : Bertrand Brasil, 2000.

192p.

Tradução de: The carousel
ISBN 85-286-0751-8

1. Romance escocês. I. Oliveira, Daniel Angelo. II. Título.

99-1815 CDD — 828.99113
CDU — 820(411)-3

BCD UNIÃO DE EDITORAS S.A.
Av. Rio Branco, 99 — 20º andar — Centro
20040-004 — Rio de Janeiro — RJ
Tel.: (0xx21) 263-2082 Fax: (0xx21) 263-6112

Atendemos pelo Reembolso Postal.

1

Minha mãe se encontrava no centro de sua bonita sala de estar, inundada pela luz do sol de setembro, e dizia:

— Prue, você deve estar ficando louca.

Parecia prestes a irromper em lágrimas de desapontamento, mas eu sabia que não o faria, pois as lágrimas arruinariam sua maquiagem impecável, deixariam seu rosto inchado, fariam descair sua boca e acentuariam traços indesejáveis. Embora exasperada, de modo algum ia chorar. Sua aparência era-lhe mais importante do que praticamente qualquer outra coisa, e então deixou-se ficar à minha frente, do outro lado do tapete da lareira, imaculadamente vestida com um conjunto de lã vermelho-framboesa e uma blusa de seda branca, com seus brincos de ouro e sua pulseira de bijuteria, e ostentando seus belos cabelos grisalhos, crespos e ondulados.

Ela lutava para conter um conflito de emoções negativas: raiva, preocupação maternal, mas, acima de tudo, decepção. Senti pena dela.

Animei-a. — Ora, vamos, mãe, não é o fim do mundo. — No instante em que pronunciei a frase, ela pareceu-me bastante medíocre, e provavelmente era mesmo.

— Pela primeira vez na vida, você parece ter-se envolvido com um homem realmente adequado...

— Querida, "adequado" é uma palavra tremendamente ultrapassada...

— Ele é charmoso, equilibrado, tem um bom emprego e o tipo certo de família. Você tem vinte e três anos e já é hora de se aquietar, casar-se, ter filhos e o seu próprio lar.

— Mãe, ele nem me *pediu* em casamento.

— Mas é claro que não. Ele quer fazer isso da maneira correta: levá-la à sua casa, apresentá-la à mãe. Nada há de errado nisto. E é óbvia a maneira como funciona sua mente. Basta ver os dois juntos para perceber que está loucamente apaixonado por você.

— Nigel é incapaz de sentir loucamente qualquer coisa.

— Honestamente, Prue, não sei o que você anda procurando.

— Não estou procurando nada.

Havíamos tido essa conversa tantas vezes que eu sabia a minha fala palavra por palavra, como se tivesse sentado e aprendido de cor.

— Tenho tudo o que quero. Um emprego de que gosto, um apartamentinho só meu...

— Mal se pode chamar de apartamento aquele porão de um quarto só...

— E não estou a fim de me aquietar.

— Você já tem vinte e três anos. Eu tinha dezenove quando me casei.

Eu quase disse *"e se divorciou seis anos depois"*, mas não o fiz. Embora estivesse enfurecida, ninguém podia dizer esse tipo de coisa a minha mãe. Sabia que ela tinha uma vontade de ferro e um coração de aço, o que quase sempre lhe permitia fazer as coisas à sua maneira, mas havia nela um certo quê de vulnerabilidade — a compleição delicada, os enormes olhos azuis, a feminilidade exuberante — que tornava impossível dirigir-lhe palavras grosseiras.

De modo que abri a boca e logo a fechei novamente,

olhando para ela desanimadamente. Ela me fitou com ar de reprovação, porém sem dizer nada, e entendi talvez pela milésima vez por que meu pai ficara desnorteado desde o momento em que se conheceram. Casaram-se porque ela era totalmente irresistível e ele exatamente o que ela procurava desde que, pela primeira vez, descobriu que havia algo semelhante a um sexo oposto.

Meu pai se chamava Hugh Shackleton. Naquela época trabalhava em Londres, em um banco mercantil da cidade, tinha uma vida estável e um futuro brilhante. Mas era basicamente um peixe fora d'água. Os Shackleton eram de Northumberland, e meu pai tinha sido criado lá, em uma fazenda chamada Windyedge, cujos pastos se estendiam até o frio Mar do Norte e onde os vendavais de inverno sopravam direto dos Montes Urais. Meu pai nunca perdera o amor pelo campo, nem deixara de sonhar com ele. Quando se casou com minha mãe, a fazenda estava sendo administrada por seu irmão mais velho, mas, por volta dos meus cinco anos, esse irmão morreu tragicamente em um acidente de caça. Meu pai viajou até Northumberland para o funeral. Ficou fora cinco dias e, ao voltar, sua decisão estava tomada. Disse à minha mãe que pretendia demitir-se do trabalho, vender a casa de Londres e retornar para Windyedge.

Ele se tornaria um fazendeiro.

As brigas e discussões, as lágrimas e recriminações que se seguiram a essa declaração contam entre minhas primeiras recordações verdadeiramente infelizes. Minha mãe tentou de tudo para fazê-lo mudar de idéia, mas meu pai permaneceu inflexível. Por fim ela usou seu último trunfo. Caso ele voltasse para Northumberland, iria sozinho. Para seu grande espanto, foi exatamente o que fez. Talvez julgasse que ela o iria seguir, mas minha mãe conseguiu ser tão teimosa quanto ele. Em um ano estavam devidamente divorciados. A casa de Paulton Square foi vendida, e minha mãe se mudou para outra, menor, perto de Parson's Green. Naturalmente, fiquei com ela, mas passava sempre umas duas semanas por ano em Northumberland, apenas para não perder o contato com meu pai. Passado algum tempo casou-se de novo, com uma garota rústica e tímida, cujas saias de *tweed* estavam sempre mal-ajustadas e cujo rosto expressivo e sardento jamais conhecera algo além do toque de uma esponja de pó-de-arroz. Eram muito felizes. Ainda o são. Fico contente.

Mas para minha mãe não foi tão fácil. Casou-se com meu pai porque ele parecia encaixar-se em um padrão de masculinidade que ela podia compreender e admirar. Ela nunca quis saber o que havia por trás da fachada composta pelo terno de riscas de giz e pela maleta. Não tinha o menor desejo de descobrir qualquer abismo escondido. Mas os Shackleton eram cheios de surpresas, e, para horror de minha mãe, herdei a maioria delas. Meu falecido tio não havia sido apenas fazendeiro, mas também músico relativamente bem-sucedido. Meu pai, em seu tempo livre, tecia as mais belas tapeçarias. Phoebe, irmã deles, era a verdadeira rebelde. Artista e pintora talentosa, era uma pessoa de tamanha originalidade, com tanto descaso pelas convenções do dia-a-dia, que minha mãe passou por maus bocados para chegar a um acordo com a cunhada.

Ainda jovem, Phoebe estabeleceu-se em Londres, mas, na meia-idade, saiu da cidade para sempre e foi morar na Cornualha, onde viveu muito feliz com um homem encantador, um escultor chamado Chips Armitage. Nunca se casaram — creio que porque sua esposa não queria conceder-lhe o divórcio — e quando ele morreu deixou para Phoebe sua casinha, de estilo gótico vitoriano, situada em Penmarron, onde ela mora desde então.

Apesar desse pequeno contratempo social, minha mãe não podia esquecer Phoebe definitivamente, pois era minha madrinha. De vez em quando minha mãe e eu éramos convidadas para passar alguns dias com ela. As cartas sempre deixavam perfeitamente claro que Phoebe gostaria de me receber sozinha. Mas minha mãe temia sua influência boêmia, e partindo do princípio de que, se não pudesse vencer os Shackleton, unir-se-ia a eles, sempre — ao menos enquanto eu era criança — me acompanhou nessas visitas.

Da primeira vez que viajamos para a Cornualha, eu estava cheia de ansiedade. Era apenas uma criança, mas sabia bem que minha mãe e Phoebe nada tinham em comum, e estava apavorada com a perspectiva de duas semanas de divergências e silêncios espinhosos. Mas eu subestimara a sensibilidade de Phoebe. Deu conta da situação apresentando minha mãe à Sra. Tolliver, que morava na White Lodge, em Penmarron, e tinha um pequeno círculo de amigos completamente convencional, que ficavam encantados de incluir minha atraente mãe em suas tardes de bridge e jantares íntimos.

Com esses amigos, de bom grado ela jogava cartas nos dias de sol enquanto Phoebe e eu andávamos pela praia, armávamos nossos cavaletes no velho quebra-mar ou programávamos passeios pelo interior, no Volkswagen velho e acabado que Phoebe usava como estúdio móvel, subindo a charneca e nos entregando à contemplação de paisagens inundadas de uma luz branca e cintilante que parecia refletir-se do próprio mar.

Apesar do antagonismo de minha mãe, Phoebe exercia enorme influência em minha vida. Influências inconscientes, manifestas no talento que herdei para o desenho. E outras, mais práticas — pressões, talvez —, que alimentaram minha determinação de estudar em Florença, de ir para a escola de artes, e que culminaram em arranjar meu emprego atual na Galeria Marcus Bernstein, na Cork Street.

E agora era por causa de Phoebe que discutíamos. Nigel Gordon entrara em minha vida alguns meses atrás. Era a primeira pessoa absolutamente convencional de quem cheguei a gostar, ainda que moderadamente, e quando o trouxe à minha casa para conhecer minha mãe, ela não conseguiu esconder seu deleite. Foi encantador com ela, flertando um pouco e trazendo-lhe flores, e quando ela soube que Nigel me havia convidado à Escócia para passar uns dias com sua família e conhecer sua mãe, sua excitação não teve limites. Ela já me havia comprado um par de balonas de *tweed* para usar "na charneca", e além disso eu sabia que sua imaginação já estava voando em direção ao clímax final das notícias de noivado no *Times*, dos convites impressos e de um casamento londrino em que figuro com um modelo original branco desenhado de modo a garantir uma boa imagem quando visto de costas.

Mas no último instante Phoebe havia colocado um ponto final em todas essas belas fantasias. Conseguira, veja só, quebrar o braço, e no dia em que voltou do hospital para o Holly Cottage, sua pequena casa de veraneio, com o braço imobilizado em um aparelho de gesso, telefonou-me implorando que lhe fosse fazer companhia. Não que ela não pudesse perfeitamente cuidar de si mesma, mas estava impossibilitada de dirigir o carro, e ficar presa em casa até que o aparelho fosse retirado era mais do que podia suportar.

Ouvindo sua voz ao telefone, enchi-me de uma extraordinária sensação de alívio, e foi somente então que admiti para mim mesma que não queria ir para o Norte passar uns dias com os Gordon. Não estava preparada para envolver-me tão profundamente com Nigel. No plano subconsciente, estivera ansiando por alguma boa desculpa para me livrar do compromisso. E aqui estava ela, de bandeja. Sem qualquer hesitação, disse a Phoebe que iria. Então informei a Nigel que não poderia ir à Escócia. E agora estava comunicando à minha mãe.

Como era de se prever, ela ficou arrasada.

—Cornualha. Com Phoebe. —Fez com que parecesse o pior de todos os impasses.

— Tenho que ir, mãe. — Tentei fazê-la sorrir. — Você sabe que ela não consegue dirigir aquele calhambeque nem com os dois braços.

Mas ela não estava para brincadeiras. — É tão grosseiro cancelar no último instante. Você nunca mais vai ser convidada. E o que irá pensar a mãe de Nigel?

— Vou escrever para ela. Tenho certeza de que entenderá.

— E com Phoebe... com ela você só vai conhecer um monte de estudantes incultos e mulheres extravagantes vestindo ponchos tecidos à mão.

— Talvez a Sra. Tolliver me apresente a um homem adequado.

— O assunto não é para brincadeiras.

Suavemente, proferi: — A vida é *minha*.

— Você sempre diz isso. Disse-o quando foi-se embora para morar naquele porão horrível em Islington, e logo em Islington, ainda por cima!

— Está muito na moda.

— E quando se matriculou naquela horrível escola de arte...

— Pelo menos consegui um emprego absolutamente respeitável. Você tem que admitir isto.

— Você devia se casar. E então não precisaria de um emprego.

— Mesmo casada, eu não desistiria do meu emprego.

— Mas, Prue, isso não dá futuro. Quero que tenha uma vida digna.

— Acho que esta é uma vida digna.

Encaramo-nos por um longo instante. Então minha mãe suspirou profundamente, resignada e aparentando estar mortalmente ferida. Eu sabia que por ora a discussão estava terminada.

— Nunca vou entendê-la — murmurou, em tom patético.

Fui dar-lhe um abraço.

— Não tente — falei-lhe. — Apenas se anime e continue gostando de mim. Vou lhe mandar um cartão-postal da Cornualha.

Eu havia decidido não ir de carro até Penmarron, preferira viajar de trem. Na manhã seguinte tomei um táxi para Paddington, encontrei a plataforma e o vagão certos. Havia reservado um lugar, mas o trem não estava cheio; em meados de setembro o movimento de turistas já havia cessado. Mal acabara de acomodar minha bagagem e me instalara em um assento, quando ouvi uma batidinha na janela. Erguendo os olhos, vi um homem de pé, do lado de fora, carregando uma maleta em uma das mãos e um buquê de flores na outra.

Para minha surpresa, era Nigel.

Levantei-me, voltei para a porta e desci para a plataforma. Ele andava em minha direção, sorrindo acanhadamente.

— Prue. Pensei que não conseguiria encontrá-la.

— Que diabo está fazendo aqui?

— Vim estar com você em seu embarque. Desejar-lhe boa viagem. — Estendeu-me o buquê de flores, crisântemos pequenos amarelos e desgrenhados. — E trazer-lhe isto.

Fiquei, a despeito de mim mesma, muito enternecida. Reconheci que sua vinda até a estação era um generoso gesto de perdão e uma forma de deixar claro que havia compreendido por que eu estava deixando de cumprir o que lhe prometera. Isto teve o efeito de fazer com que me sentisse, mais do que nunca, uma canalha. Peguei as flores pelo invólucro de papel rugoso branco e enterrei o nariz nelas. Tinham um aroma delicioso. Olhei para ele e sorri.

— São dez horas. Você não deveria estar em sua mesa de trabalho a essa hora?

— Não há pressa.

— Eu não sabia que você era tão importante no mundo dos bancos.

Nigel deu um sorriso forçado. — Não sou, mas também não tenho que marcar ponto. De qualquer forma, telefonei e avisei que me atrasaria. — Ele tinha um tipo de rosto sólido e maduro, com cabelos louros que começavam a rarear no alto da cabeça; mas, quando sorria desse jeito, parecia um menino. Comecei a perguntar-me se estava louca, deixando de lado aquele homem atraente para ir cuidar de minha imprevisível tia Phoebe. Talvez minha mãe estivesse certa, afinal de contas.

— Sinto muito — desculpei-me — por não ter cumprido o que lhe prometi. Escrevi para sua mãe na noite passada.

— Quem sabe, numa outra vez... — sugeriu Nigel generosamente. — De qualquer forma, mantenha contato. Avise-me quando voltar para Londres.

Eu sabia que estaria me esperando, se lhe pedisse. Pronto para ir aguardar meu trem, levar-me de carro de volta para Islington, retomar o fio do nosso relacionamento como se nunca me tivesse ausentado.

— Eu o farei.

— Espero que sua tia se recupere rapidamente.

— É só um braço quebrado. Ela não está doente.

Fez-se uma pausa curta e desconfortável. Então Nigel se despediu. — Bem... — Adiantou-se para beijar-me no rosto. Foi mais um beijinho do que um beijo. — Até logo, e tenha uma boa viagem.

— Obrigada por ter vindo. Obrigada pelas flores.

Deu um passo para trás, fez um gesto vago de despedida, virou-se e foi embora. Fiquei vendo-o afastar-se, abrindo caminho através da confusa movimentação de carregadores, carrinhos de carga, famílias com malas. Na cancela virou-se para uma última despedida. Acenamos. Então ele se foi. Entrei novamente no trem, acomodei as flores no bagageiro e sentei-me mais uma vez. Gostaria de que ele não tivesse vindo.

Eu era bem uma Shackleton, mas de vez em quando emoções desgarradas afloravam à superfície de minha mente, características que eu reconhecia como originadas diretamente de minha mãe. Esta era exatamente uma dessas ocasiões. Eu devia estar louca por não querer ficar com Nigel, envolver-me com ele, até mesmo passar o resto de minha vida com ele. Normalmente, eu pinoteava como um cavalo, com a simples idéia de criar raízes, mas neste momento, sentada no trem, olhando pela janela para a Estação

Paddington, de repente essa idéia pareceu-me tremendamente atraente. Segurança; era o que aquele homem digno de confiança me daria. Imaginei-me morando em sua sólida casa em Londres, passando as férias na Escócia; trabalhando só se quisesse, e não porque precisasse do dinheiro. Pensei em ter filhos...

— Com licença — uma voz indagou. — Este lugar está ocupado?

— O quê? — Olhei para cima e vi o homem de pé no corredor entre os assentos. Carregava uma mala pequena, e ao seu lado havia uma criança, uma menina pequena e magra, de uns dez anos de idade, cabelos escuros e óculos redondos estilo coruja.

— Não, não está.

— Bom — disse ele — e levantou a mala para colocá-la no bagageiro. Não parecia disposto a qualquer tipo de amenidades, e um certo ar de impaciência me levou a não pedir-lhe que tomasse cuidado com meu buquê de crisântemos. Como Nigel, vestia-se apropriadamente para um escritório na cidade, com um terno azul-marinho de risca de giz. Mas o terno não lhe caía bem, como se ele tivesse engordado bastante ultimamente (imaginei lautos almoços lançados como despesas de serviço), e, enquanto acomodava a mala, pude ver sua camisa cara, estufada, e com os botões repuxados. Era moreno, e, algum dia, quem sabe, fora bonito, mas agora suas bochechas eram volumosas e caídas, a pele rubicunda, e cabelos grisalhos e compridos cobriam-lhe a parte de trás do colarinho, possivelmente para compensar a escassez de fios no alto da cabeça.

— Pronto — disse ele à menina. — Pode sentar.

Ela obedeceu, cautelosamente, empoleirando-se na pontinha da poltrona. Trazia uma única revista em quadrinhos e usava uma bolsa de couro vermelha pendurada por uma alça em torno de um dos ombros. Era uma criança pálida, com o cabelo cortado bem rente, deixando à mostra um pescoço longo e delgado. Isto, seus óculos e sua expressão de sofrimento estóico davam-lhe a aparência de um menino, e lembrei-me de outros meninos que eu havia observado em plataformas de estações, engolidos por uniformes novos e engomados, contendo as lágrimas, e tendo de ouvir de pais obesos o quanto iriam gostar de ficar no internato.

— Está com a sua passagem?

Ela fez que sim com a cabeça.

— A vovó vai se encontrar com você na estação.

Ela assentiu novamente.

— Bem... — fez uma mão deslizar para trás por cima da cabeça. Estava obviamente louco para ir embora. — Então, é isso aí. Vai correr tudo bem.

Mais uma vez ela balançou a cabeça. Entreolharam-se, sem sorrir. Ele começou a sair e então lembrou-se de mais alguma coisa.

— Tome aqui... — Ele apalpou o bolso interno do paletó, tirou uma carteira de couro de crocodilo e pegou uma nota de dez libras. — Você vai precisar comer alguma coisa. Quando estiver na hora, vá para o vagão-restaurante e compre alguma coisa para o almoço.

Ela pegou a nota de dez libras e ficou sentada olhando para a mesma.

— Então, até logo.

— Até logo.

Ele se foi. Ao passar pela janela parou para acenar e dar um rápido sorriso. Então desapareceu, apressando-se em direção a algum carro aerodinâmico e vistoso que o devolveria à segurança do mundo masculino de seus negócios.

Da mesma forma que já me dissera que Nigel era agradável, agora me dizia que este homem era horroroso e perguntava-me por que razão uma pessoa tão antipática se havia incumbido de acompanhar o embarque da menina. Ela estava sentada ao meu lado, ainda parecendo um ratinho. Passado algum tempo, estendeu o braço para pegar sua bolsa, abriu o zíper, colocou dentro a nota de dez libras e fechou o zíper novamente. Pensei em dizer-lhe algo amigável, mas por trás dos óculos havia um brilho de lágrimas em seus olhos, e então decidi, temporariamente, deixar como estava. No momento seguinte o trem começou a mover-se, e partimos.

Abri meu *Times*, li as manchetes e todas as notícias sombrias, e então, com uma agradável sensação de alívio, fui para a página de Artes. Encontrei o que estava procurando, a crítica de uma exposição que havia inaugurado alguns dias atrás na Galeria de Peter Chastal, que ficava no mesmo quarteirão em que eu trabalhava com Marcus Bernstein.

O artista era um jovem chamado Daniel Cassens, e eu sempre tivera interesse por sua carreira, pois, por volta de seus vinte anos, passara um ano na Cornualha morando com Phoebe e estudando escultura com Chips. Nunca o conhecera, mas Phoebe e Chips tinham-se afeiçoado muito a ele, e quando os deixou para continuar sua carreira na América, Phoebe acompanhou seu progresso com avidez e entusiasmo, como se fosse seu próprio filho.

Ele viajou, passou alguns anos na América e então foi para o Japão, onde se entregou completamente às intricadas simplicidades da arte oriental.

Essa nova exposição era um resultado direto dos anos que passara no Japão, e a crítica era entusiástica, deleitando-se com a tranqüilidade e formalidade de sua obra, elogiando a perícia de seu traço de pincel com aquarelas, a sutileza dos detalhes.

"... Esta é uma coleção incomparável", concluía o autor. "As pinturas são complementares, cada qual uma faceta ímpar de uma experiência total e rara. Roube mais ou menos uma hora de sua rotina diária e visite a Galeria Chastal. Você certamente não se desapontará."

Phoebe ficaria encantada, e eu estava contente por ela. Fechei o jornal, olhei pela janela e notei que havíamos deixado para trás os subúrbios e estávamos agora atravessando o campo. Era um dia úmido, com grandes nuvens cinzentas rolando pelo céu, deixando entrever de vez em quando uma nesga de azul límpido. As árvores começavam a mudar de cor, as primeiras folhas a cair. Tratores aravam a terra dos campos e os jardins das casas rústicas; ao passarmos por eles em alta velocidade, arroxeavam-se de margaridas-de-são-miguel.

Lembrei-me de minha pequena companheira e voltei-me para ver como estava se saindo. Ela ainda não tinha aberto a revista, nem desabotoado o casaco, mas as lágrimas se haviam recolhido e ela parecia um pouco mais calma.

— Para onde você está indo? — perguntei.

— Cornualha — respondeu.

— Também estou indo para a Cornualha. Onde você vai ficar?

— Vou ficar com a minha avó.

— Vai ser bom. — Refleti a respeito. — Mas não estamos ainda no período letivo? Você não deveria estar na escola?

— Sim, devia. Estou em um internato. A gente voltou,

e então o *boiler* explodiu, daí fecharam a escola por uma semana até ele ser consertado, e mandaram a gente para casa de novo.

—Que horror! Espero que ninguém se tenha machucado.

— Não. Mas a Sra. Brownrigg, nossa diretora, teve que ficar de cama por um dia. A governanta disse que foi choque.

—Não me admira.

—Então fui para casa, mas não tem ninguém lá, só o meu pai. Minha mãe está de férias em Maiorca. Ela foi no final das férias. Então tive que ir ficar com a vovó.

Ela não deu a impressão de que fosse uma perspectiva muito atraente. Eu tentava pensar em alguma coisa encorajadora que pudesse dizer para animá-la, quando pegou sua revista e acomodou-se, de forma bem ostensiva, e começou a ler. Achei graça, mas peguei a deixa, localizei meu livro e comecei também a ler. A viagem prosseguiu em silêncio, até o garçom do vagão-restaurante percorrer o trem para avisar que o almoço estava sendo servido.

Pousei o livro. — Você pretende ir almoçar alguma coisa? —perguntei-lhe, ciente da nota de dez libras em sua bolsa.

Ela parecia agoniada. —Eu... eu não sei para onde ir.

—Eu estou indo. Quer ir comigo? Podíamos almoçar juntas.

Sua expressão mudou para um alívio agradecido. — Ah, posso ir? Eu tenho o dinheiro, mas nunca estive antes sozinha em um trem e não sei o que devo fazer.

—Eu sei, deixa a gente confusa, não é? Venha, vamos antes que todas as mesas fiquem ocupadas.

* * *

Descemos juntas os corredores balouçantes, encontramos o vagão-restaurante e fomos conduzidas a uma mesa para dois. Ela estava posta com uma toalha branca limpa e flores dentro de uma garrafa de vidro.

— Estou com um pouco de calor — ela comentou. — Você acha que eu posso tirar o casaco?

— Acho que seria uma boa idéia.

O garçom veio ajudá-la, dobrando-o e pousando-o no espaldar da cadeira. Abrimos os menus.

— Está com fome? — perguntei-lhe.

— Estou sim. Nós tomamos o café da manhã *séculos* atrás.

— Onde você mora?

— Em Sunningdale. Vim até Londres de carro com meu pai. Ele vai de carro para lá todas as manhãs.

— Seu...? Era seu pai aquele que a trouxe até o trem?

— Sim. — Ele não lhe tinha nem mesmo dado um beijo de despedida. — Ele trabalha em um escritório na cidade. — Nossos olhares se cruzaram e então ela desviou os olhos apressadamente. — Ele não gosta de se atrasar.

— Poucos homens gostam — contemporizei. — É com a mãe dele que você vai ficar?

— Não. Vovó é a mãe de minha mãe.

Continuei, parecendo uma tagarela. — Vou ficar com uma tia. Ela quebrou o braço e não pode dirigir o carro, por isso vou tomar conta dela. Ela mora no finalzinho da Cornualha, em uma aldeia chamada Penmarrom.

— Penmarrom? Mas eu também estou indo para Penmarrom.

Isto era uma coincidência. — Que extraordinário!

— Sou Charlotte Collis. Neta da Sra. Tolliver. Ela é minha vovó. Você a conhece?

— Sim, conheço. Não muito bem, mas conheço. E a minha tia se chama Phoebe Shackleton.

E então seu rosto se iluminou. Pela primeira vez, desde quando pus os olhos nela, pareceu uma criança espontânea e entusiasmada. Seus olhos arregalaram-se por detrás dos óculos, e sua boca se abriu em uma arfada de deleitosa surpresa, revelando dentes grandes demais para o rosto fino.

— *Phoebe!* Phoebe é minha melhor amiga. Eu vou tomar chá com ela, por aí afora, toda vez que fico com a vovó. Eu não sabia que ela tinha quebrado o braço. — Olhou fixamente para o meu rosto. — Você... você não é a Prue, é?

Sorri. — Sim, sou. Como soube?

— Eu *achava* que conhecia seu rosto. Já vi sua fotografia na sala de estar de Phoebe. Sempre achei que você devia ser um *amor*.

— Obrigada.

— E Phoebe costumava me falar de você quando eu ia visitá-la. É delicioso ir tomar chá com ela, porque não é como estar com gente grande, e além disso me deixam ir sozinha. E a gente sempre brinca com o carrossel que já foi um gramofone.

— Ele era meu. Chips o fez para mim.

— Não conheci Chips. Nem me lembro quando ele morreu.

— E eu — confessei-lhe — ainda não conheci sua mãe.

— Mas a gente vai passar quase todos os verões com a vovó.

— E eu costumo estar lá na Páscoa, e às vezes no Natal,

por isso nossos caminhos nunca se cruzaram. Acho que nem sei o nome dela.

— É Annabelle. Ela se chamava Annabelle Tolliver. Mas agora se chama Sra. Collis.

— E você tem irmãos?

— Um irmão. Michael. Ele tem quinze anos. Está em Wellington.

— E o *boiler* de Wellington não explodiu?

Era uma tentativa de adicionar à conversa uma pitada de frivolidade, mas Charlotte não sorriu. Retrucou: — Não.

Estudei o menu e pensei na Sra. Tolliver. Minhas lembranças a seu respeito eram as de uma senhora alta, elegante e um tanto indiferente, sempre imaculadamente vestida, os cabelos grisalhos elegantemente penteados, as saias plissadas e passadas, os sapatos compridos e estreitos, polidos como castanhas. Pensei na White Lodge, onde Charlotte ia ficar, e tentei imaginar o que uma menina encontraria para fazer naqueles jardins podados com capricho, naquela casa quieta e disciplinada.

Olhei para a criança do outro lado da mesa e vi que ela também, com as sobrancelhas franzidas, tentava decidir o que pediria para o almoço. Parecia uma pessoinha triste. Não podia ter sido muito divertido ser mandada de volta da escola para casa simplesmente porque o seu *boiler* havia explodido. Inesperada e provavelmente indesejada, com a mãe no exterior e sem ninguém para tomar conta de você. Não podia ter sido muito divertido ser colocada sozinha em um trem e despachada para o extremo do país para visitar a avó. Desejei, de repente, que a Sra. Tolliver fosse gorducha e acolhedora, com o peito farto e cálido, e com uma paixão por tricotar roupinhas de bonecas e jogar paciência.

Charlotte levantou os olhos e me viu observando-a. Suspirou desanimadamente. — Eu não sei o que quero.

Lembrei-lhe: — Não tem nem um instante você me disse que estava com muita fome. Por que não pede de tudo?

— Tudo bem. — Decidiu-se por uma sopa de legumes, rosbife e sorvete. — Você acha — acrescentou melancolicamente — que vai ter dinheiro bastante para uma Coca-Cola?

O que há de tão mágico em se ir de trem para a Cornualha? Sei que não sou a primeira pessoa a sentir a magia do momento em que a ferrovia atravessa o Tamar pela antiga ponte de Brunel; é como se você estivesse cruzando os portais de alguma maravilhosa nação estrangeira. Toda vez que vou digo-me que não pode ser a mesma coisa, mas sempre é. E é impossível identificar os motivos exatos dessa euforia. Os formatos das casas, talvez, banhadas pela luz rósea do sol da tardinha. O tamanho diminuto dos campos; os altivos viadutos pairando sobre profundos vales arborizados; os primeiros relances distantes do mar? Ou talvez os nomes santos das pequenas estações que celeremente deixamos para trás, ou as vozes dos carregadores nas plataformas em Truro?

Chegamos à estação de St. Abbatt às quinze para as cinco. No momento em que o trem ladeava a plataforma, Charlotte e eu já estávamos prontas perto da porta, com as malas e meu buquê de crisântemos, a essa altura nitidamente murchos. Quando saltamos do trem, fomos violentamente açoitadas por um ruidoso vento oeste, pude sentir o cheiro do mar, salgado e forte. Havia palmeiras na plataforma, chacoalhando as folhas como guarda-chuvas velhos e quebrados. Um carregador abriu a porta do vagão dos condutores e de lá tirou, arrastando, um engradado cheio de galinhas indignadas.

Sabia que o Sr. Thomas viria encontrar-me. Era dono do único táxi de Penmarron, e Phoebe me dissera pelo telefone que havia contratado seus serviços. Enquanto caminhávamos em direção à ponte, vi-o esperando, bem agasalhado com um sobretudo, como se estivéssemos no inverno, e usando o chapéu que comprara em um bazar e que já pertencera a algum nobre chofer. Quando não dirigia o táxi, era criador de porcos, e para esta ocupação tinha um outro chapéu, de feltro e muito antigo. Phoebe, que possuía uma perspicácia rabelaisiana, pôs-se a imaginar uma certa vez que tipo de chapéu ele usava quando ia para cama com a Sra. Thomas, mas minha mãe fez beicinho e baixou os olhos recusando-se a achar graça, e então Phoebe não pensou mais no assunto.

Não havia nem sinal da Sra. Tolliver. Eu podia sentir a ansiedade de Charlotte.

— Talvez sua avó esteja esperando do outro lado da ponte.

O trem, que nunca ficava muito tempo parado em lugar algum, partiu. Esquadrinhamos a plataforma oposta, mas a única pessoa que aguardava era uma senhora gorda com uma sacola de compras. Nada da Sra. Tolliver.

— Pode ser que ela esteja sentada no carro, no estacionamento da estação. Está uma noite fria para ficar por aí.

— Tomara que ela não tenha esquecido — lamuriou-se Charlotte.

Mas o Sr. Thomas viria nos tranqüilizar.

— Olá, minha querida — cumprimentou-me, vindo

ao nosso encontro e aliviando-me da mala. — Como vai? Prazer em revê-la. Fez boa viagem? — Desceu o olhar para Charlotte. — Você deve ser a neta da Sra. Tolliver. Isso mesmo. As ordens que recebi são de pegar as duas. Levar a menina para a White Lodge e depois você para a casa da Sra. Shackleton. Viajaram juntas, não é?

— Sim, nós nos encontramos no trem.

— Sua tia teria vindo, mas não pode dirigir com a droga daquele braço. Então vamos. — Voltou-se para Charlotte: — Dê-me também sua mala, é mais fácil carregar duas do que uma...

E assim carregado, subiu penosamente os degraus de madeira e atravessou a ponte, com Charlotte e eu à sua cola. Acomodada em seu táxi, cujos assentos eram forrados de couro mofado e que sempre tinha um leve cheiro de porcos, ironizei: — Espero que a Sra. Tolliver não tenha quebrado o braço também.

— Oh, não, ela está um amor. — Na Cornualha, "um amor" significa "bem". — Não há nada de errado com ela. Mas não fazia sentido a vinda de dois carros... — Dito isso, ligou o motor, e o táxi, depois de pipocar duas vezes, engrenou aos rangidos e lançou-se morro acima, buscando a estrada principal.

Recostei-me aborrecida. Talvez fosse a coisa mais sensata a fazer, arranjar para que Charlotte e eu dividíssemos o táxi, mas teria sido mais acolhedor se a Sra. Tolliver tivesse vindo à estação para receber Charlotte pessoalmente. Afinal de contas, era uma viagem de carro de pouco mais de três quilômetros. Charlotte estava voltada para a janela, evitando olhar para mim, e suspeitei que mais uma vez lutava contra as lágrimas. Eu não a censurava.

— Foi uma boa idéia dividirmos o táxi, não foi? — tentei aparentar entusiasmo, como se o aprovasse.

Não se virou. Apenas murmurou: — Acho que sim.

Todavia, chegamos. Aqui estávamos nós. Percorrendo a rua principal naquela tarde ventosa, descendo o morro sob os carvalhos. Cruzamos os portões daquilo que tinha sido a residência do maior proprietário de terras da região, e então chegamos à aldeia. Como sempre, nada parecia ter mudado. Subindo o morro novamente, passamos pelas casas rústicas e pelas lojas, por um homem idoso passeando com seu cachorro, pelo posto de gasolina, pelo *pub*. Pegamos a rua que levava à igreja e ao mar, ao bosque de velhos carvalhos e à fazenda com suas construções recobertas de ardósia, e finalmente aos portões brancos da White Lodge, abertos.

O Sr. Thomas reduziu a marcha com um tranco medonho das engrenagens e entrou pelos portões. Subimos a curta entrada de carros, por entre árvores cujas copas se projetavam sobre nós, e fui observando os canteiros de grama bem varridos e os renques de hortênsias esmaecidas. Contornamos uma touceira dessas flores e estacionamos sobre a área coberta de cascalhos em frente à casa. Era uma casa de pedras, caiada de branco e sólida. Uma glicínia trepou pela parede até as janelas do andar superior, e um lanço de degraus de pedra levava à porta da frente, que se achava fechada. Saímos todos do táxi, e o Sr. Thomas subiu os degraus para tocar a campainha. De repente uma rajada de vento varreu as folhas mortas que se achavam espalhadas, formando um redemoinho aos nossos pés. Após uma curta espera, a porta se abriu e a Sra. Tolliver apareceu. Sua fisionomia era exatamente a mesma de que eu tinha lembrança, e ela desceu os degraus em nossa direção com seu cabelo grisalho e liso em forma de touca e seu talhe esbelto e elegante. Seu rosto estava caprichadamente composto em um sorriso de boas-vindas.

— Charlotte. Então, você chegou. — Curvou-se para dar à criança um beijo rápido. Ergueu-se novamente. Eu sou alta, mas ela era ainda mais alta. — Prue, como é bom ver você. Espero que não tenha se incomodado por dividir o táxi.

— Não nos incomodamos nem um pouco. Encontramo-nos no trem em Londres, e viajamos juntas o tempo todo.

— Que ótimo. Bom, Charlotte, esta mala é sua? Vá para dentro. Você chegou bem a tempo de lavar as mãos e tomarmos um chá. A Sra. Curnow fez pão-de-ló. Espero que goste de pão-de-ló.

Charlotte concordou: — Sim. — Não foi muito convincente. Provavelmente detestava pão-de-ló. Com certeza teria preferido tiras empanadas de peixe e batatas fritas.

— ... E Prue, espero que encontre bem a sua tia. Quem sabe você vem almoçar algum dia? Como está sua mãe?

— Vai bem.

— Quero saber de todas as novidades em uma outra hora. Agora venha, Charlotte.

— Até logo — despediu-se Charlotte.

— Até logo, Charlotte. Venha visitar-nos.

— Virei sim.

Esperei ao lado do táxi até terem subido a escada e entrado. A Sra. Tolliver levava a mala, e Charlotte, ainda segurando a revistinha, seguiu cautelosamente atrás dela. Não se virou para acenar. A porta fechou-se atrás delas.

2

Pareceu-me totalmente errado Charlotte ser recebida de forma tão pouco calorosa, enquanto eu, com vinte e três anos e perfeitamente capaz de cuidar de mim mesma, encontrava o Holly Cottage e Phoebe inteiramente à minha espera. Lá não havia uma entrada de carros pavimentada; apenas uma pequena faixa de cascalhos entre o portão e a casa. O jardim era cheio de dálias e crisântemos, a porta da frente estava aberta para acolher a brisa da tarde, e de uma janela do andar superior uma cortina de algodão rosa esvoaçava ao vento, como acenos de uma pessoa saudando alegremente. Nem bem tinha o táxi acabado de atravessar o portão, e Phoebe já havia aparecido. Seu braço esquerdo estava imobilizado por um volumoso aparelho de gesso branco, mas o braço direito acenava com exuberância, encarregando-se sozinho de dar as boas-vindas, e ela saiu correndo tão de repente em nossa direção que o Sr. Thomas quase a atropelou.

Antes mesmo de o carro parar, eu já estava fora recebendo um meio-abraço de Phoebe. O abraço que devolvi valeu pelos dois, com folga.

— Oi, minha querida — gritou com alegria —, meu anjo. Nunca pensei que você pudesse vir. Nem pude acreditar. Estou quase ficando louca tentando transitar por aí. Não posso nem andar de bicicleta…

Rindo, desprendi-a de meus braços; recuamos e nos

olhamos com a maior satisfação. Olhar para Phoebe era sempre um prazer. Cheio de surpresas, mas sempre um prazer. A essa altura estava já com sessenta e tantos anos, mas sempre foi impossível fazer Phoebe mostrar a passagem dos anos.

Reparei em suas meias grossas, nas botas resistentes, na saia *jeans* azul surrada e desbotada. Na parte de cima, vestia camisa e casaco de malha masculinos (provavelmente herdada de Chips); correntes de ouro rodeavam seu pescoço, por baixo de um cachecol axadrezado, e na cabeça, o indefectível chapéu.

Ela sempre usava chapéu, de abas largas, copa alta, bem elegante. Começou a usá-los quando pintava fora de casa, para proteger os olhos da claridade branca e fria da luz da Cornualha, e os chapéus acabaram tornando-se uma parte tão integrante de sua pessoa que muito freqüentemente esquecia-se de tirá-los. O que estava usando era de um marrom vivo, decorado com penas cinzas de gaivota enfiadas no cinteiro. Sob sua sombra benevolente, o rosto de Phoebe, com a pele cheia de rugas, faiscava e sorria para mim. O sorriso revelava dentes regulares e brancos como os de uma criança, e seus olhos eram do mais profundo azul-verônica, cujo brilho era desafiado apenas pelos brincos turquesa-prateados que balançavam em ambos os lados da face.

— Você é uma impostora — brinquei. — Pode até ter quebrado o braço, mas está bonita como sempre.

— Que disparate! Ouviu isso, Sr. Thomas, ela disse que estou bonita. Deve estar louca, ou então cega. Olhe aqui, o que é isto? Sua mala. E para que são essas flores mortas? Eu não quero nenhuma flor morta... — Segurando as pobrezinhas, começou a rir novamente. — Olhe aqui,

Sr. Thomas, o senhor terá que me mandar a conta. Não posso pagar-lhe agora, não sei onde deixei minha bolsa.

— Deixa que eu pago, Phoebe.

— É claro que não. O Sr. Thomas não se importa, não é mesmo?

Thomas assegurou-lhe que não. Entrou de volta no táxi, mas Phoebe foi ao seu encalço para enfiar a cabeça pela janela e perguntar sobre a perna doente da Sra. Thomas. Ele começou a responder-lhe, com algumas minúcias. No meio de seu relatório, Phoebe concluiu que já estava farta. — Que bom que ela está melhor — cortou firmemente e tirou a cabeça da janela. O Sr. Thomas, interrompido no auge de seu relatório, não ficou nem um pouco encabulado. Era simplesmente a Sra. Shackleton, e como só Deus sabia, tinha alguns hábitos esquisitos. O velho táxi começou a andar mais uma vez e logo saiu a toda, espalhando cascalho pelo portão e pela estrada afora.

— Bem — Phoebe pegou meu braço. — Vamos entrar. Quero ouvir todas as novidades.

Juntas passamos pela porta aberta e ganhamos o interior da casa. Parei no vestíbulo, olhei em volta e adorei que tudo estivesse como antes. Vi o assoalho polido e tapetes espalhados; a escadaria de madeira, sem passadeira, que levava ao andar superior; as paredes caiadas de branco, adornadas, ao acaso, com os pequenos óleos de Phoebe, lustrosos como jóias.

A casa cheirava a aguarrás, fumaça de madeira, óleo de linhaça, alho e rosas, mas seu maior charme era o efeito de etérea leveza gerado pelas cores pálidas, cortinas de renda, tapetes de palha e madeira polida. Até mesmo em pleno inverno parecia sempre verão.

Inspirei profundamente, saboreando tudo. — É o paraíso — exclamei. — É o paraíso estar aqui de volta.

— Você vai ficar no mesmo quarto de antigamente — informou Phoebe, e então me deixou, indo em direção à cozinha. Eu sabia que ela iria passar algum tempo tentando ressuscitar as pobres flores de Nigel, ainda que tivesse flores mais que suficientes em sua casa. Peguei minha mala e subi para o quarto que, desde muito pequena, tinha sido meu. Abri a porta e fui atingida por uma rajada de ar frio que entrava, aos borbotões, pela janela escancarada. Fechei a porta, e tudo parou de esvoaçar. Deixando minha mala no chão, fui até a janela e me inclinei para fora a fim de contemplar o panorama familiar.

A maré estava baixa, e a tarde cheirava a alga marinha. Sentiam-se sempre os odores do mar no Holly Cottage, pois a casa fora construída em cima de um penhasco coberto de capim, por sobre um estuário que adentrava pela costa como um enorme lago, enchendo-se e esvaziando-se todos os dias com as marés.

Abaixo da casa ficava um quebra-mar largo, por onde antigamente um ramal da via férrea dava acesso a um estaleiro bastante movimentado. Agora o estaleiro estava fechado, e os dormentes da via férrea tinham sido removidos, mas o paredão ainda continuava lá, sólido como um rochedo. Na maré alta a água chegava quase à sua borda, e no verão era um bom lugar para se nadar; mas na maré baixa nada havia além de acres de areias desertas, com algumas rochas cobertas de algas, laguinhos rasos espalhados aqui e ali e uma dúzia ou mais de barcos de pesca abandonados, puxados para cima da praia de seixos atrás e por alguma razão nunca mais devolvidos ao mar.

Acima disso tudo, no lado sul da casa, o jardim era inesperadamente grande. Um gramado de formato irregular, orlado aqui e ali de canteiros de flores variadas, fazia um declive em direção à sebe de escalônias que delimitava o terreno. No meio da cerca viva havia um portão, acima do qual as escalônias haviam sido podadas em forma de arco, o que dava ao jardim um aspecto encantador, antiquado e formal. À direita, além de um muro alto de tijolos, no lugar onde Chips Armitage costumava plantar pessegueiros, havia uma horta bastante grande, e na parte mais baixa dessa horta, quase invisível para quem olhasse da casa, ele havia construído seu estúdio. O cume do telhado de ardósia era tudo o que conseguia ver; pousada sobre ele, uma gaivota solitária. Enquanto eu a observava, abriu as asas, pipilando desafios para nada em especial, e então levantou vôo, elevando-se e planando para longe, por sobre a areia úmida e deserta.

Sorri, cerrei a janela contra o frio e desci para encontrar Phoebe.

Sentamos de frente uma para outra, a cada lado do tapetinho da frente da lareira, aquecendo-nos ao fogo resplandecente de uma acha, enquanto a luz de fora gradualmente tingia-se de noite. Havia um grande bule marrom de chá em cima do carrinho, xícaras e pires de cerâmica pintados à mão, um prato de bolinhos de aveia frescos, manteiga amarela da fazenda e geléia de cereja feita em casa.

— Não foi você quem fez esses bolinhos, Phoebe. Você não conseguiria, com uma mão só.

— Não, foi Lily Tonkins quem os fez esta manhã. Mulher adorável, vem todos os dias e simplesmente toma conta da cozinha. Eu nunca tinha notado como ela é uma cozinheira maravilhosa.

— Mas como foi que você quebrou o braço?

— Ah, minha querida, estupidamente. Fui até o estúdio procurar umas velhas pastas de Chips... Sabia que estavam na prateleira mais alta da estante dele, então trepei numa cadeira, mas é claro que algum verme, não sei qual, escavou a madeira; a perna da cadeira cedeu e fui parar no chão! — Riu às gargalhadas como se esta fosse a melhor piada do mundo. Usava ainda seu chapéu enfeitado de penas. — Foi muita sorte não ter quebrado a perna. Voltei para casa e, para a minha felicidade, lá estava o carteiro, entregando a correspondência da tarde. Então entrei a seu lado no carro, ele me levou para o hospital rural e me meteram neste aparelho chato.

— Coitadinha.

— Ah, não tem importância, não dói muito; é apenas uma chateação, mas é enlouquecedor não poder dirigir. Tenho que voltar ao hospital amanhã para o médico dar uma olhada... Tenho medo de que ele ache que vou ter uma gangrena ou algo parecido...

— Levo você de carro...

— Não precisa, vão mandar uma ambulância. Nunca estive em uma ambulância antes. Estou doida para que isso aconteça. Mas, como vai Delia?

Delia era minha mãe. Respondi que ia bem.

— E que tal a sua viagem de trem? — Antes que eu pudesse começar a responder, lembrou-se da combinação feita com a Sra. Tolliver. — Meu Deus, esqueci de perguntar sobre Charlotte Collis. O Sr. Thomas se lembrou de pegá-la também na estação?

— Sim.

— Que bom. Espero que não se tenha incomodado por ter dividido a viagem com ela. Quanto a mim, achei que a Sra. Tolliver poderia ter ido pessoalmente buscar a pobre criança, mas ela parecia não ver sentido nisso, já que o Sr. Thomas, de qualquer forma, estaria indo.

— Também achei que ela deveria ter ido encontrá-la.

— Como é que ela está, aquela criaturinha?

— Parecia um pouco tensa. Nem um pouco empolgada com a idéia de ficar com a avó. A única pessoa por quem mostrou algum entusiasmo foi você. Ela adora você.

— Engraçado, não é? Era de se esperar que preferisse estar com crianças da idade dela. Só que não existem muitas crianças nesta vila, e mesmo se existissem, ela sempre foi meio solitária. Da primeira vez que nos encontramos, deparei-me com ela vagando sozinha pela praia. Disse-me que tinha saído para dar uma volta; então convidei-a para um chá e telefonei para a Sra. Tolliver avisando que ela estava comigo. Depois disso vem com muita freqüência. Ela é fascinada pelos meus quadros, pinturas e cadernos de desenho. Dei-lhe um bloco de desenho e umas canetas hidrográficas, e ela revelou um talento notável e uma imaginação maravilhosa. Também adora que lhe contem histórias; gosta de ouvir falar de Chips e todas as bobagens que costumávamos fazer juntos. É extraordinário, realmente, em uma criança tão nova.

— Sabe — comentei —, acho que nunca tive idéia de que a Sra. Tolliver tinha uma neta. Nunca me dei conta de que tinha uma filha. Nem marido, por falar nisso. Que fim levou o Sr. Tolliver?

— Morreu, anos atrás. Quando Chips e eu chegamos aqui, ele ainda estava vivo e levavam a vida em grande estilo. Você sabe, aquelas coisas — um Bentley na garagem, dois jardineiros, uma cozinheira e uma criada. Annabelle foi insuportavelmente mimada e faziam-lhe todas as vontades — uma verdadeira filha única. Mas então o Sr. Tolliver teve um ataque cardíaco — desmaiou e caiu no gramado próximo ao sétimo buraco do campo de golfe — e nunca mais se recuperou. Depois disso nada foi como antes. É claro que a Sra. Tolliver nunca disse nada — ela é a mulher mais reservada que conheço — mas venderam o carrão e fizeram, de forma bem evidente, um corte geral de despesas. Annabelle havia sido mandada para uma escola na Suíça absurdamente cara; teve que sair, voltar para casa e freqüentar um ginásio local. Ela simplesmente o detestava. Acho que se sentia como se a vida a tivesse humilhado deliberadamente. Uma boba.

— Como ela era?

— Muito bonita, mas sem o menor vestígio de um cérebro. Depois que se casou e teve o menino, costumava vir passar os verões e ficar com a mãe, e todas as vezes havia uns três ou quatro rapazes perdidos de amor, servindo-a obsequiosamente. Nas festas você não conseguia vê-la, tantos eram os homens a seu redor. Igualzinho a abelhas em volta de um pote de mel.

— Ela está em Maiorca agora. Charlotte me contou.

— Eu sei. Sei da história toda. Acho que, até certo ponto, a Sra. Tolliver acreditava que Annabelle devia voltar e cuidar pessoalmente de Charlotte. Ela ficou danada com aquela história de o *boiler* da escola ter explodido. Achou que era muita incompetência. Fiquei horrorizada. Podia ter matado todas as crianças. Mas a Sra. Tolliver estava muito mais preocupada com a perspectiva de ficar com Charlotte.

— Mas ela não gosta de Charlotte?

— Olha, acho que gosta bastante dela — disse-me Phoebe com seu jeito desenvolto — mas nunca se interessou por crianças, e parece que acha Charlotte muito estúpida. E, ainda mais, nunca ficou antes sozinha com a criança. Imagino que esteja se perguntando que diabos vai fazer com ela.

Lá fora, o vento estava aumentando, chocalhando a janela contra os caixilhos e assobiando em volta dos cantos da casa. Estava quase escuro, mas o aposento onde nos achávamos sentadas estava aquecido pela luz bailadeira do fogo. Peguei a chaleira que chiava sobre uma prateleira de latão perto das chamas e tornei a encher o bule.

— E quanto ao marido de Annabelle?

— Leslie Collis? Nunca consegui suportá-lo. Que homem mais horripilante!

— Também o achei horroroso. Ele nem mesmo beijou Charlotte ao se despedir. Como é que Annabelle o conheceu?

— Ele estava hospedado no Castle Hotel, em Porthkerris, com outros três corretores da bolsa, ou seja lá o que faça na cidade. Não sei como se encontraram, mas no momento em que pôs os olhos nela, a coisa aconteceu.

— Mas ele não pode ter sido atraente.

— Era sim, de uma forma estranha. Tinha um certo tipo de encanto cafona, sem cultura. Gastava dinheiro feito água, andava de Ferrari.

— Você acha que Annabelle o amava?

— Nem por um instante. Só amava a si mesma. Leslie podia dar-lhe tudo o que sempre quis e ela não gostava de ser pobre. E é claro que a Sra. Tolliver a encorajou loucamente. Creio que nunca perdoara seu pobre marido por lhe ter deixado na pobreza, e estava determinada a conseguir que Annabelle fizesse um bom casamento.

Refleti sobre isso. Então servi-me de outra xícara de chá e recostei-me nas almofadas da velha cadeira funda e acolhedora.

— Acho que todas as mães são iguais — sentenciei.

— Não me diga que Delia está de novo pegando no seu pé.

— Oh, não, não está. Mas há esse homem... o que me trouxe esses crisântemos... — E contei-lhe tudo sobre Nigel Gordon e seu convite para a Escócia.

Phoebe ouviu compreensivamente e, quando terminei, comentou: — Ele me parece muito distinto.

— E é. Esse é o problema. Ele é extremamente distinto. Mas minha mãe já escuta badalarem os sinos de casamento e vive me lembrando que já tenho vinte e três anos, que devia criar juízo e tornar-me responsável. Talvez, se ela não ficasse sempre batendo na mesma tecla, eu até me casasse com ele.

— Você só deve se casar se não conseguir imaginar a vida sem ele.

— Mas aí é que está. Eu consigo. E com muita facilidade.

— Cada um de nós precisa de uma coisa diferente na vida. Sua mãe precisa de segurança. Por isso se casou com seu pai, o que de pouco ou nada lhe serviu, porque nunca dedicou o tempo necessário para chegar a conhecê-lo, antes de fazer aquela entrada triunfal na igreja. Mas você é uma pessoa especial. Você precisa muito de um homem que lhe traga flores e lhe pague as contas. Você é inteligente e talentosa. E para que de fato viva com um homem, é absolutamente vital que ele a faça rir. Chips e eu ríamos o tempo todo, mesmo quando éramos pobres, ainda não havíamos alcançado o sucesso e não sabíamos como iríamos pagar a conta da mercearia. Estávamos sempre rindo.

Sorri, lembrando deles juntos, e mudei de assunto: — Falando de Chips, você sabia que Daniel Cassens está com uma exposição na Galeria Chastal? Li uma crítica entusiástica no *Times* essa manhã.

— Também li. Tão emocionante. Um rapaz muito querido, brilhante. Pretendia ir a Londres para a inauguração, mas fui quebrar essa droga desse braço, e o médico disse que eu não posso viajar.

— Ele está em Londres? Daniel, quero dizer.

— Só Deus sabe onde ele está. Provavelmente ainda no Japão. Ou no México, ou em algum lugar maluco. Mas eu adoraria ver aquela exposição. Talvez, se estiver em condições, volte para Londres com você e então vamos juntas. Como ia ser divertido! É algo que vale a pena esperar.

Naquela noite tive um sonho. Era uma ilha — uma ilha tropical, as praias orladas de palmeiras, a areia branca. Fazia muito calor. Eu estava em uma praia, andando em direção ao mar silencioso e cristalino. Pretendia nadar, mas quando cheguei à água, vi que tinha apenas alguns centímetros de profundidade, mal cobrindo meus tornozelos. Andei por um bom tempo, e então, de repente, a areia descambou, e fiquei sem rumo, nadando, e a água estava escura como tinta de escrever, e a correnteza parecia um rio impetuoso. Senti-me arrastada pelo seu fluxo, em direção ao horizonte. Sabia que devia voltar-me e nadar para a praia, mas a correnteza era forte demais e não havia como resistir a ela. Então parei de lutar e deixei-me ser carregada, sabendo que nunca mais poderia voltar, mas era tão maravilhosa a sensação de seguir com a maré, que não me importei.

Acordei com o sonho ainda claro e nítido em minha mente. Conseguia lembrar todos os detalhes. Deitei na cama, pensando na água clara e na sensação de paz ao ser arrastada pela correnteza daquele mar quente e tranqüilo. Todos os sonhos têm um significado e perguntei-me como um oniromante o analisaria. Ocorreu-me, com um certo tipo de despreocupação, que podia ser sobre a morte.

3

A manhã virou um lindo dia. Claro e com muita brisa, o céu azul salpicado de grandes nuvens brancas provenientes do Atlântico. O sol faiscava através dessas nuvens, e pouco a pouco, ao longo da manhã, a maré ia enchendo o estuário, encobrindo a areia, inundando as piscinas naturais e, finalmente, lá pelas onze horas, alcançando o quebra-mar abaixo da casa.

Phoebe havia saído para a sua consulta no Hospital Rural, transportada com toda pompa pela ambulância local. Para a viagem, havia colocado um outro chapéu, agora um de feltro aveludado preto, debruado com uma banda de tussor, e saiu acenando animadamente pela janela aberta como se estivesse saindo para uma excursão. Estaria de volta para o almoço. Eu me oferecera para prepará-lo, mas Lily Tonkins, já às voltas com o aspirador de pó, informou que já havia posto no forno uma peça de carne de cordeiro. Foi quando descobri um bloco de desenhos e um lápis de carvão, roubei uma maçã da fruteira e saí da casa.

Agora, onze horas, achava-me sentada na encosta coberta de capim acima do quebra-mar, com o sol um deslumbre sobre as águas do estuário agitadas pelo vento e com o frescor da manhã cheio dos gritos estridentes das gaivotas. Eu havia feito um esboço tosco dos barcos de pesca abandonados, com suas correntes e âncoras caindo aos pedaços, seus mastros nus perfurando o céu. No momento em que detalhava uma escotilha carcomida pelo tempo, ouvi o trem matinal de Porthkerris passar pelo corte que ficava atrás do Holly Cottage e deter-se na pequena parada à beira da praia. Era um trem muito pequeno e pouco freqüente, e minutos depois, soltando um apito, seguiu viagem, desaparecendo depois da curva.

Eu estava tão absorta tentando esboçar perspectivas exasperantes, que pouco me dei conta disso tudo; mas, ao erguer novamente a cabeça para estudar a quilha de um bote empinado, percebi de rabo de olho um movimento. Olhei e vi uma figura solitária andando em minha direção. Aproximou-se vindo da estação, e presumi que havia descido daquele trem, atravessado a via principal e seguido os trilhos do desvio abandonado. Nada havia de incomum nisto. Com freqüência as pessoas tomavam o trem de Porthkerris para Penmarrom e depois voltavam a pé para Porthkerris, pela trilha que se estendia por uns quatro quilômetros e meio, bordejando o sopé do penhasco.

Perdi o interesse pelo desenho. Deixei o bloco de lado, peguei a maçã e comecei a comê-la. Acompanhei o progresso do desconhecido. Era um homem alto, de pernas compridas, com passos longos e elásticos. Suas roupas, de início, eram simplesmente uma mancha azul e branca, mas na medida em que se aproximava vi que vestia calça *jeans* azul, uma camisa desbotada e um casaco branco de tricô, do tipo que as pessoas trazem das férias na Irlanda. O casaco estava desabotoado, esvoaçando ao vento, e em volta do pescoço um lenço vermelho e branco, amarrado como um cigano. Tinha a cabeça descoberta, seus cabelos eram bem escuros; embora parecesse estar sem pressa alguma, avançava a uma velocidade considerável.

Cheguei à conclusão de que parecia ser uma pessoa que sabia aonde ia.

Agora já tinha vindo até o extremo final do quebra-mar. Deu uma parada e olhou para a água reluzente, protegendo os olhos da luz ofuscante. Pouco depois recomeçou a andar e foi então que me avistou, sentada no capinzal, comendo minha maçã, observando-o.

Achei que provavelmente passaria por mim, talvez com um "bom-dia" casual; mas, quando chegou à minha frente, parou e ficou ali, de costas para a água, as mãos nos bolsos daquele casaco volumoso, com a cabeça inclinada para trás. Uma lufada de vento despenteou seus cabelos escuros, e ele me cumprimentou: — Olá.

Tinha uma voz de menino, um comportamento juvenil, mas seu rosto magro e moreno não era de menino, e exibia linhas fortemente marcadas ao redor da boca e dos olhos intensamente resolutos.

— Olá.

— Que manhã mais adorável.

— Não é mesmo? — Terminei a maçã e joguei fora o miolo. Na mesma hora uma gaivota precipitou-se sobre ele e o levou embora para consumi-lo sem ninguém por perto.

— Acabei de descer do trem.

— Foi o que pensei. Vai voltar a pé para Porthkerris?

— Não, para falar a verdade, não vou. — E assim dizendo começou a subir o capinzal, escolhendo o caminho por entre as áreas ocupadas pelas sarças e as touceiras de samambaia. Quando chegou ao lado em que me encontrava, caiu exausto, escarrapachando os membros de ossos compridos. Reparei que seus velhos sapatos de lona tinham buracos nos dedões, e o calor do sol fizera com que seu casaco ficasse com cheiro de ovelha, como se tivesse sido tricotado diretamente de um velocino oleoso.

— Querendo, pode-se ir a pé pelo penhasco — falei.

— Ah, mas como você pode ver, eu não quero. — Deu uma olhada em meu bloco de desenhos; antes que pudesse impedi-lo, já o havia pegado.

— Está muito bom.

Odeio que as pessoas vejam meu trabalho, especialmente quando nem está pronto.

— São apenas rabiscos.

— Que nada. — Examinou-o por mais um instante e então colocou-o no chão sem mais comentários. — Existe uma fascinação mortal em ficar observando o fluxo da maré — disse. — Por acaso era o que você estava fazendo?

— Há mais de uma hora.

Tateou o bolso espaçoso e tirou um magro maço de cigarros, uma carteira de fósforos e um livro cheio de orelhas, obviamente bastante lido e consultado. Depertou-me um certo interesse quando vi que era *Vanishing Cornwall,* de Daphne du Maurier. A carteira de fósforos trazia estampado "The Castle Hotel Porthkerris". Sentia-me como uma detetive e como se já soubesse bastante sobre ele.

Tirou um cigarro e acendeu-o. Suas mãos eram bonitas: compridas e finas, com dedos afilados. Usava um relógio barato e comum em um dos pulsos, e no outro uma corrente de ouro, de aparência antiga e pesadona.

Enquanto ele colocava os fósforos e os cigarros de volta no bolso, perguntei: — Está hospedado no Castle?

Levantou os olhos com surpresa e sorriu. — Como adivinhou?

— Dedução. Fósforos. Olhar aguçado.

— É claro. Que burrice a minha. Bem, dormi lá a noite

passada, se é que se pode chamar isso de estar hospedado. Cheguei ontem de Londres.

— Eu também. Vim de trem.

— Gostaria de ter vindo. Peguei uma carona. Detesto dirigir. Odeio carros. Prefiro sentar-me e ficar olhando pela janela ou ler um livro. Infinitamente mais civilizado. — Acomodou-se em uma posição mais confortável, apoiando-se sobre um cotovelo. — Você está de férias, passando uma temporada, ou mora aqui?

— Apenas passando uma temporada.

— Na aldeia?

— Sim. Bem aqui, na verdade.

— O que quer dizer com bem aqui?

— Naquela casa ali em cima.

— Holly Cottage. — Começou a rir. — Você está na casa de Phoebe?

— Você conhece Phoebe?

— Mas é claro que a conheço. É por isso que estou aqui. Para visitá-la.

— Bem, você não vai encontrá-la no momento, pois ela foi de ambulância para o Hospital Rural. — Pareceu horrorizado. — Está tudo bem, ela não teve um ataque ou coisa parecida, apenas quebrou o braço. Colocaram um aparelho de gesso, e o médico quis dar uma olhada nele.

— Ótimo, fico aliviado. Ela está bem?

— Com certeza. Estará de volta para o almoço.

— E quem é você? Uma enfermeira, ou uma de suas eternas alunas?

— Não, eu sou uma eterna sobrinha.

— Por acaso você é Prue?

— Sim, sou sim. — Franzi as sobrancelhas. — Mas quem é você?

— Daniel Cassens.

Deixei escapar, tolamente: — Mas você está no México.

— México? Nunca estive lá, em toda a minha vida.

— Phoebe disse que você devia estar no México ou em algum outro lugar maluco.

— Muito amável da parte dela. Na verdade, estive nas Ilhas Virgens, em um barco com uns amigos americanos, mas então alguém disse que ia chegar um furacão e achei que estava na hora de ir embora. Mas de volta a Nova Iorque, fui imediatamente bombardeado por cabogramas de Peter Chastal dizendo que eu tinha que estar em Londres para a inauguração da exposição que montou para mim.

— Estou sabendo. Como vê, trabalho com Marcus Bernstein. Somos praticamente vizinhos de Peter Chastal. E li as críticas a respeito de sua exposição. Acho que você está com um sucesso nas mãos. Phoebe também leu. Ficou empolgadíssima.

— É, imagino.

— Você esteve na inauguração?

— Sim, estive. Acabei conseguindo chegar. No último instante me dei por vencido e peguei um vôo.

— Por que relutou tanto? A maioria das pessoas não perderia isso por nada. Aquele champanha todo e tanta bajulação.

— Detesto minhas próprias exposições. É a forma mais terrível de se expor, é como colocar um filho na vitrine. Todos aqueles olhos, olhando-me fixamente. Faz-me sentir bem mal.

Compreendi. — Mas você acabou indo?

— Sim, por pouco tempo. Mas usei um disfarce — óculos escuros e um chapéu que me encobria o rosto. Parecia uma espécie de espião maluco. Fiquei só meia hora e então, em um momento em que Peter estava distraído, escapuli e fui sentar-me em um *pub* para tentar decidir o que fazer em seguida. Então comecei a conversar com um sujeito, paguei-lhe uma cerveja, e ele me disse que estava vindo para a Cornualha; então peguei uma carona com ele e cheguei ontem à noite.

— Por que não veio ficar com Phoebe?

Fiz essa pergunta sem pensar e imediatamente desejei não tê-la feito. Ele desviou o olhar, arrancou um punhado de capim e deixou que o vento o levasse de seus dedos.

— Não sei — soltou finalmente. — Tantos motivos. Alguns nobres, outros nem tanto.

— Você sabe que ela o acolheria de bom grado.

— Sim, sei. Mas faz muito tempo. Já faz onze anos que estive aqui. Chips ainda estava vivo.

— Você trabalhou com ele, não?

— Sim, por um ano. Eu estava nos Estados Unidos quando ele morreu. No Sonoma Valley, no norte da Califórnia. Passava uma temporada na casa de uns conhecidos, donos de um vinhedo. Levou um bom tempo para a carta de Phoebe me alcançar; lembro-me de ter pensado naquela ocasião que, se ninguém lhe contasse que morrera uma pessoa que você ama, ela viveria para sempre. Achei que nunca mais conseguiria voltar à Cornualha. Mas morrer faz parte da vida. Aprendi isso desde então. Só que, naquela época, ainda não tinha aprendido.

Pensei no carrossel que Chips havia feito para mim com um velho gramofone; ele e Phoebe rindo juntos; no cheiro de seu cachimbo.

— Eu também o amava.

— Todos o amavam. Era tão benevolente! Estudei escultura com Chips, mas acabei aprendendo com ele muita coisa sobre a vida, o que quando se tem vinte anos é infinitamente mais importante. Nunca conheci meu próprio pai, e isso sempre fez com que me sentisse diferente em relação às outras pessoas. Chips preencheu essa lacuna. Deu-me um enorme senso de identidade. — Sabia o que queria dizer, pois era exatamente o que eu sentia com relação a Phoebe. — Chegando de Londres ontem, enchi-me de dúvidas; perguntava-me o tempo todo se estava fazendo o que devia. Nem sempre é uma boa idéia voltar ao lugar onde você foi jovem e sonhou. E teve ambições.

— Não, se seus sonhos e ambições se realizaram. E isso com certeza aconteceu com você. A exposição de Chastal deve ter provado isso. Não deve ter ficado uma pintura sem vender…

— Talvez eu tenha necessidade de estar inseguro a respeito de mim mesmo.

— Não se pode ter tudo.

Caímos no silêncio. Já era meio-dia, e o sol estava muito quente. Eu ouvia o bater suave da brisa, o marulho da água contra o quebra-mar. Através do estuário inundado chegava o zumbido dos carros que passavam na estrada ao longe. Um bando de gaivotas disputava um pedaço de peixe em decomposição.

— Sabe, em tempos passados — Daniel comentou —, séculos antes de Cristo, na Era do Bronze, este estuário era um rio. Os comerciantes velejavam até aqui, desde o leste do Mediterrâneo, contornando o promontório de Lizard e o cabo do Lands End, abarrotados com todos os tesouros do Levante.

Sorri e disse:

— Também li *Vanishing Cornwall.*

— Este livro tem magia. — Abriu-o direto em uma página bastante estudada e leu em voz alta:

> "Para o observador atual, agachado em meio às dunas de areia e tufos de capim, olhando em direção ao mar, para onde correm as águas rasas, pode a imaginação tomar um rumo desenfreado, figurando filas e mais filas de embarcações vivamente coloridas, de proas empinadas e fundos chatos, com as velas de través, entrando no rio com a maré cheia."

Fechou o livro. — Quem me dera ter este tipo de percepção, mas não tenho. Só consigo ver o aqui e o agora, e tentar pintá-lo da forma que o sinto.

— Você leva consigo esse livro a toda parte?

— Não. Mas encontrei-o numa loja em Nova Iorque; da primeira vez que o li, soube que algum dia, em algum momento, teria que voltar para a Cornualha. Ela nunca o deixa. É como um ímã. Você tem que voltar.

— Mas por que logo para o Castle Hotel?

Daniel olhou-me, divertido. — Por quê? Você não acha que eu combine com o lugar?

Visualizei os americanos ricos, os golfistas, as duplas de senhoras jogando bridge, a orquestra elegante da hora do chá.

— Não muito.

Ele riu. — Sei. Foi uma escolha bastante imprópria, mas era o único hotel de que conseguia me lembrar, e eu estava cansado. Cansado por causa da diferença de fuso horário, cansado de Londres, cansado de tudo. Queria cair em uma cama bem grande e dormir por uma semana. E então, quando acordei esta manhã, não estava mais cansado. Pensei em Chips e percebi que tudo o que queria era vir até aqui para visitar Phoebe outra vez. Então caminhei até a estação e peguei o trem. Saltei do trem e encontrei você.

— E agora — anunciei — você vai voltar para casa comigo e vai ficar para o almoço. Há uma garrafa de vinho na geladeira, e Lily Tonkins tem uma peça de carne de cordeiro no forno.

— Lily Tonkins? Ainda anda por aí?

— Cuida da casa. E também da cozinha. Aliás, está cozinhando agora mesmo.

— Tinha-me esquecido de Lily. — Pegou meu bloco de desenhos novamente, e dessa vez não me importei. — Sabe — comentou —, você não é apenas excepcionalmente bonita, é também muito talentosa.

Decidi ignorar a parte sobre ser bonita. — Não sou talentosa. É por isso que trabalho com Marcus Bernstein. Descobri da forma mais difícil que não tinha chance de ganhar a vida como artista.

— Muito sensato de sua parte ter-se dado conta disto — disse Daniel Cassens. — Muito poucas pessoas conseguem.

Juntos, com o sol sobre as costas, subimos a encosta da colina. Abri o portão de madeira da sebe de escalônias e ele seguiu à minha frente, cautelosamente, como um cão entrando em um território outrora familiar. Fechei o portão. Parou e ficou olhando para a fachada da casa. Olhei também, tentando ver com os olhos dele, depois de passados onze anos. A mim, parecia a casa que sempre conhecera. Vi as janelas góticas pontiagudas, a porta que dava para o jardim, aberta ao fundo do terraço de tijolos aparentes, acolhendo o calor matinal. Ainda havia gerânios em flor nas selhas de barro, e as cadeiras de jardim de Phoebe, caindo aos pedaços, ainda não haviam sido guardadas para o inverno.

Subimos o suave declive do gramado e entrei em casa à sua frente.

— Phoebe? — Abri a porta da cozinha, de onde veio o delicioso aroma da carne de cordeiro sendo cozida. Lily Tonkins estava à mesa da cozinha, picando hortelã, mas parou quando apareci.

— Ela chegou em casa há uns cinco minutos. Subiu para trocar os sapatos.

— Trouxe uma visita para o almoço. Tem problema?

— Sempre tem bastante comida. Algum amigo seu?

Daniel, atrás de mim, pôs-se à vista.

— Sou eu Lily, Daniel Cassens.

Lily ficou boquiaberta. — Oh, meu Deus. — Largou a faca e pôs a mão em seu peito esquelético, expressando uma surpresa de parar o coração. — Você aqui! Como um morto ressurgindo do passado. Daniel Cassens. Deve ter uns doze anos. O que está fazendo aqui?

— Vim visitá-la — respondeu. Passou em volta da mesa e curvou-se para dar-lhe um beijo no rosto. Lily soltou uma risada de alegria e enrubesceu. — Seu patife. Voltando para encher nossa paciência de novo. Espere só até a Srta. Shackleton pôr os olhos em você. Pensamos que você havia esquecido de nós. Você sabia que ela quebrou o braço, a pobrezinha? Passou a manhã inteirinha no hospital, mas o médico disse que ela está indo muito bem. Espere aí que eu vou chamá-la. — Desapareceu pelo corredor e a ouvimos gritando para a Srta. Shackleton descer imediatamente, porque havia uma surpresa maravilhosa para ela.

Daniel a seguiu, mas fiquei na cozinha porque por alguma razão senti que se testemunhasse o reencontro deles provavelmente ia irromper em lágrimas. De qualquer forma, foi Phoebe quem chorou. Eu nunca a tinha visto chorar antes, mas foram lágrimas de alegria, e secaram em um instante. Contudo, ainda assim, chorou. E então reunimo-nos todos novamente na cozinha. Tirei o vinho da geladeira, e Lily deixou de lado a tarefa de picar hortelã, tratando de buscar alguns copos, e a ocasião, não mais que de repente, se transformou em uma tremenda comemoração.

Ele ficou o resto da tarde. O dia, que havia começado tão brilhante, ficou nublado, com um vento cada vez mais forte trazendo nuvens baixas do mar. Caíram pancadas de chuva e esfriou, mas nada disso importava, pois estávamos dentro de casa junto à lareira, e as horas voaram entre conversas, reminiscências e uma atualização geral de tudo que vinha acontecendo com os dois.

Eu pouco tinha a acrescentar à conversa, mas isso não tinha importância. Ouvir estava sendo um prazer, pois não só me fazia sentir intimamente envolvida com ambos como também meus interesses e meu trabalho se relacionavam com tudo o que discutiam. Eu tinha conhecimento desse pintor; tinha ouvido falar daquela exposição; tinha de fato visto aquele determinado retrato. Phoebe falou de um tal Lewis Falcon, que agora morava em uma casa em Lanyon, e me lembrei dele porque havíamos produzido uma exposição de sua obra no Marcus Bernstein menos de dois anos antes.

Falamos também sobre Chips, não como se fala de alguém que morreu seis anos atrás, mas como se a qualquer momento ele pudesse entrar na sala iluminada pela lareira para juntar-se a nós, aconchegar-se em sua poltrona arqueada e participar da conversa.

Finalmente, abordaram o assunto do trabalho de Phoebe. O que estava fazendo agora? Daniel queria saber, e Phoebe riu com o seu jeito habitual de autodepreciação e disse que nada tinha para lhe mostrar, mas, pressionada, admitiu que existiam algumas telas que terminara no ano passado, enquanto estava de férias em Dordogne, mas que nunca encontrara tempo de arrumar e elas se achavam no estúdio de Chips, ainda amontoadas ao acaso debaixo de placas de poeira. Daniel imediatamente ficou de pé e insistiu em vê-las, de modo que Phoebe localizou a chave do estúdio, vestiu uma capa de chuva, e os dois desceram juntos o caminho pavimentado de tijolos, para achá-las.

Não os acompanhei nessa expedição. Eram quatro e meia, e Lily Tonkins já tinha ido para casa; portanto, assim que recolhi e lavei nossas canecas de café, preparei uma bandeja de chá, encontrei um bolo de frutas em uma lata e peguei a chaleira vazia para enchê-la na pia.

A pia da casa de Phoebe ficava embaixo da janela, o que era agradável, pois tinha sido projetada para se apreciar a vista enquanto se lavava a louça. Mas agora a vista estava oculta, imersa em uma garoa fina. As nuvens estavam baixas, as areias úmidas do estuário na vazante da maré refletiam sua plúmbea escuridão. Maré enchente, maré vazante. Estabeleciam um padrão de tempo, tiquetaqueando a vida, embora como o ponteiro dos minutos de um relógio.

Sentia-me filosófica, em paz. Então, repentinamente, muito feliz. Essa felicidade me pegou desprevenida, da mesma forma que costumava ser pega desprevenida pelos êxtases fortuitos da infância. Olhei à minha volta, como se a fonte dessa euforia gratuita pudesse ser vista, guardada, lembrada. Observei tudo que havia naquela cozinha familiar sob uma ótica inusitada e ampliada, uma ótica que tornava agradável e bonito cada objeto trivial e modesto. Os veios da mesa lavada com escova e sabão, as cores brilhantes da louça de barro na prateleira, uma cesta de legumes, a simetria das xícaras e das caçarolas.

Pensei em Daniel e Phoebe remexendo juntos o velho estúdio empoeirado de Chips. Fiquei contente por não ter ido com eles. Gostava dele. Gostava de suas mãos bonitas, de sua voz suave e vigorosa e de seus olhos escuros. Mas havia também algo em sua pessoa que me perturbava. Eu não tinha certeza se queria ou não ser perturbada.

Ele dissera: "Você não é apenas excepcionalmente bonita, é também muito talentosa."

Eu não estava acostumada a ser chamada de bonita. Meus cabelos longos e lisos eram claros demais; minha boca, grande demais; meu nariz, arrebitado. Até mesmo Nigel Gordon, que — segundo minha mãe — estava apaixonado por mim, na verdade jamais tivera a oportunidade de dizer que eu era bonita. Arrasadora, talvez, ou mesmo sensacional, mas nunca bonita. Pus-me a imaginar se Daniel era casado, para logo em seguida rir de mim mesma, pois minha seqüência de pensamentos era dolorosamente óbvia demais, e também porque seria exatamente esta a pergunta que minha mãe faria. Esse sarcasmo dirigido contra mim mesma quebrou o encanto daquele extraordinário momento de contemplação, e a cozinha de Phoebe se dissolveu em sua forma mundana habitual, limpa como a deixara Lily Tonkins antes de colocar seu lenço de cabelo e pedalar até sua casa para preparar o chá do marido.

* * *

Ao terminarmos o chá, Daniel levantou o punho de sua manga, olhou para o relógio e disse que tinha de ir.

— Gostaria de que você ficasse aqui — disse Phoebe. — Por que não volta para cá? Pegue suas coisas e depois volte para ficar conosco.

Mas ele disse que não o faria. — Lily Tonkins já tem trabalho suficiente tomando conta de vocês duas.

— Mas vamos vê-lo de novo? Você vai ficar uns tempos por aqui?

Ele se levantou. — Um dia ou dois, de qualquer maneira. — Pareceu vago. — Venho visitar vocês novamente.

— Como é que você vai voltar para Porthkerris?

— Deve haver um ônibus...

Voluntariei-me. — Levo-o no carro de Phoebe. O ponto de ônibus fica a mais de um quilômetro e ainda está chovendo; você vai ficar ensopado.

— Você não se importa?

— Claro que não.

Despediu-se de Phoebe, saímos e entramos no velho carro dela, todo acabado. Com cuidado, saí, de ré, da garagem e fomos embora, deixando a silhueta de Phoebe recortada contra a luz da porta da frente do Holly Cottage, acenando com o braço bom e nos desejando uma viagem segura, como se estivéssemos saindo para algum rali.

Seguimos pela chuva com facilidade e rapidez, subindo o morro, passando pelo clube de golfe e chegando à estrada principal.

— Você dirige tão bem — comentou com admiração.

— Mas com certeza você também sabe dirigir. Todo mundo sabe.

— Sim, dirijo, mas simplesmente detesto dirigir. Sou um idiota completo para qualquer coisa mecânica.

— Nunca teve um carro?

— Tive que ter um na América. Todos têm carro lá. Mas nunca cheguei realmente a me sentir à vontade com ele. Comprei um de segunda mão; era enorme, comprido feito um ônibus, com um radiador que parecia uma gaita de boca, faróis e canos de descarga fálicos. Tinha também câmbio automático, elevadores de vidros elétricos e algum tipo de carburador superpotente. Eu tinha horror dele. Depois de três anos, finalmente o vendi, mas até então só tinha aprendido a operar o aquecedor.

Comecei a rir. De repente me lembrei de Phoebe dizendo que quando você casa com um homem, é absolutamente vital que ele a faça rir. Nigel, na realidade, nunca me fizera rir muito. Por outro lado, era perito em automóveis, e passava boa parte de seu tempo livre com a cabeça enfiada debaixo do capô de seu M.G., ou então totalmente debruçado debaixo dele, só com os pés de fora, a conversa reduzindo-se a pedidos de uma chave inglesa maior.

Reconfortei-o. — Não se pode ser bom em tudo. Sendo você um artista de sucesso, seria demais esperar que fosse também um bom mecânico.

— Isso é o que há de tão fantástico em Phoebe. Pinta que é uma beleza. Poderia ter alcançado grande fama se não tivesse subjugado com prazer seu talento para criar e manter um lar para Chips... e para todos os estudantes perdidos, como eu, que morei, trabalhei e aprendi tanto com eles. O Holly Cottage era uma espécie de refúgio para muitos artistas jovens e batalhadores. Lá você encontrava sempre refeições deliciosas e fartas, ordem, limpeza e boa acolhida. Você nunca se esquece desse tipo de conforto e segurança. Instila em você para o resto da vida o modelo de um bom estilo de vida — e quero dizer "bom" no sentido real da palavra.

Era uma maravilha ouvir outra pessoa declarar em voz alta o que eu sempre sentira em relação a Phoebe, mas, por algum motivo, nunca fora capaz de dizer.

— Somos iguais, você e eu — declarei. — Uma das poucas vezes que eu chorava, quando criança, era quando tinha que me despedir de Phoebe, subir no trem e voltar para Londres. E, no entanto, bastava chegar em casa, de volta à minha mãe e ao meu próprio quarto, com todas as minhas coisas a meu redor, que tudo ficava bem. E, no dia seguinte, estava de novo contente, envolvida em meus afazeres, grudada ao telefone, ligando para todos os meus amigos.

— As lágrimas deviam ser conseqüência direta da insegurança de dois mundos diferentes se tocando. Nada pode fazer alguém se sentir pior.

Pensei sobre isso. Fazia sentido.

— Acho que sim — concluí.

— Na verdade, só consigo imaginá-la como uma menina feliz.

— Sim, eu era feliz. Meus pais se divorciaram, mas ambos eram sensatos e inteligentes. E tudo aconteceu quando eu era muito pequena, de modo que não deixou o que se poderia chamar de uma cicatriz duradoura.

— Você teve sorte.

— Sim, tive. Sempre fui amada e querida. É o máximo que se pode exigir de uma infância.

Neste ponto a estrada fazia um declive e curvava-se em direção a Porthkerris. Através da escuridão, as luzes do porto cintilavam bem abaixo de nós. Chegamos aos portões do Castle Hotel, entramos e seguimos pelo caminho sinuoso, a avenida dos carvalhos. Havia uma grande área descoberta, com quadras de tênis e extensos gramados, e em seguida uma área ampla, coberta de cascalhos, em frente ao hotel. Luzes irradiavam-se das janelas e da porta giratória de vidro. Estacionei entre um Porsche e um Jaguar, puxei o freio de mão e desliguei o motor.

— Não consigo deixar de me sentir um tanto deslocada. Sabe, eu nunca estive aqui. Nunca alguém foi rico o bastante para me trazer.

— Entre que lhe ofereço uma bebida.

— Não estou vestida para isso.

— Nem eu. — Abriu a porta. — Venha.

Deixamos o carro, empoeirado e desolado entre seus aristocráticos vizinhos, e Daniel foi à frente, entrando pela porta giratória. Lá dentro era tremendamente quente, com carpetes espessos e cheiro de caro. Estávamos naquele período de inatividade entre a hora do chá e a do coquetel, e não havia muitas pessoas em volta; somente um homem com roupas de golfe, lendo o *Financial Times*, e um casal idoso assistindo televisão.

O porteiro do saguão nos lançou um olhar frio; então reconheceu Daniel e recompôs rapidamente sua expressão.

— Boa-tarde, senhor.

— Boa-tarde — respondeu Daniel, e seguiu diretamente para o bar. Era minha primeira visita ao Castle, e eu queria andar lentamente para inspecionar tudo. Aqui ficava um escritório, e ali, visível através de uma porta de duas folhas aberta, um apartamento exageradamente aquecido e estofado, decorado para funcionar como sala de carteados. Em seu interior, junto a uma lareira acesa, quatro senhoras sentavam-se em volta de uma mesa de bridge. Parei por um instante, com a atenção desperta; a cena me lembrava demais uma peça de teatro dos anos trinta. Senti que já tinha visto tudo isso antes, em algum lugar: as longas cortinas de brocado, as cadeiras forradas de *chintz*, o elaborado arranjo temático de flores.

Até as senhoras vestiam as roupas certas: casacos de caxemira e colares de pérolas genuínas. Uma delas fumava um cigarro com uma longa piteira de marfim.

— Dois sem trunfo.

— Prue. — Daniel, impaciente, havia voltado atrás para me apressar. — *Vamos.*

Estava prestes a segui-lo quando a senhora que se sentava do outro lado da mesa de jogo, de frente para mim, ergueu os olhos. Nossos olhares se encontraram. Não a havia reconhecido de imediato, mas estava cara a cara com a Sra. Tolliver.

— Prue. — Parecia polidamente feliz de me ver, embora eu achasse difícil acreditar que de fato estivesse. — Mas que surpresa!

— Olá, Sra. Tolliver.

— O que está fazendo aqui?

Não queria ir falar com elas; mas, diante da situação, não consegui sequer pensar em fazer outra coisa. — Eu... eu estava só dando uma olhada. Nunca estive aqui antes. — Entrei na sala, e as outras senhoras olharam para mim, por sobre suas cartas, com bocas sorridentes e olhos que não perdiam um só detalhe de meu cabelo assanhado pelo vento, do meu velho pulôver e de minha calça *jeans* desbotada.

A Sra. Tolliver pousou suas cartas e me apresentou a suas amigas. — ... Prue Shackleton. Vocês devem conhecer Phoebe Shackleton, que mora em Penmarron. Bem, Prue é sobrinha dela...

— Ah, sim. Que ótimo — disseram as senhoras, das

formas as mais variadas, obviamente ansiosas por continuarem o jogo.

— Ontem Prue foi tão gentil com Charlotte. Veio de Londres com ela no trem.

As senhoras sorriram novamente, com aprovação. Com certa consternação dei-me conta de que não tinha pensado em Charlotte o dia inteiro. Por alguma razão isso fez sentir-me culpada, e a culpa não foi amenizada pela visão da Sra. Tolliver sentada ali em seu ambiente, jogando bridge.

— Onde está Charlotte? — perguntei.

— Em casa. Com a Sra. Curnow.

— Ela está bem?

A Sra. Tolliver fitou-me com frieza. — Existe algum motivo para que não esteja?

Fiquei desconcertada. — Não, nenhum... — Encarei-a. — É só que, no trem, pareceu-me muito quieta.

— Ela está sempre quieta. Nunca tem muito a dizer. Como encontrou Phoebe? Não está incomodada com o braço quebrado? Fico contente. Ela está com você agora?

— Não. Eu só vim trazer uma pessoa de volta... ele está hospedado aqui...

Então me lembrei de Daniel, atrás de mim; um tanto confusa, virei-me para incluí-lo naquela pequena batalha e apresentá-lo à Sra. Tolliver.

— Daniel, esta é a Sra. ...

Mas ele não estava atrás de mim. Vi apenas as portas abertas e, além delas, o vestíbulo vazio.

— Seu amigo deu uma espiada em nós e saiu — observou uma das outras senhoras; virei-me e as vi rindo como se fosse uma piada. Sorri também.

— Que bobagem. Pensei que ele ainda estava aqui.

A Sra. Tolliver pegou suas cartas novamente e arrumou-as em um leque perfeito. — Foi um prazer revê-la — disse. Peguei-me, sem motivo nenhum, corando. Pedi licença, despedi-me delas e saí.

De volta ao saguão, procurei por Daniel. Não havia nem sinal dele, mas vi o anúncio luminoso do Bar Coquetel, para onde me dirigi, e lá o encontrei, uma figura solitária, sentado em um banco alto, de costas para mim.

Estava indignada. — Por que você saiu daquele jeito?

— Senhoras jogando bridge não fazem bem o meu tipo.

— Também não fazem o meu, mas às vezes você tem que falar com as pessoas. Senti-me uma idiota. Eu ia apresentá-lo, e você havia evaporado. Era a Sra. Tolliver, de Penmarron.

— Eu sei. Peça uma bebida.

— Se você sabia que era ela, foi ainda mais grosseiro de sua parte.

— Você parece uma autora de livro de etiqueta. Por que eu deveria me importar com a Sra. Tolliver? Não, não me diga, pois não quero saber. Estou bebendo um Scotch. O que vai querer?

— Não sei se quero uma bebida. — Ainda estava aborrecida.

— Pensei que tínhamos vindo aqui para tomar um drinque.

— Oh, está bem. — Galguei o banco ao seu lado. — Vou querer uma cerveja.

Ele fez o pedido para mim. Permanecemos então sentados em silêncio. As prateleiras do outro lado do balcão tinham ao fundo um vidro espelhado, e nossas imagens refletidas olhavam para nós por detrás das garrafas que ali se encontravam. Daniel puxou um charuto e o acendeu, o *barman* me trouxe a cerveja e fez alguns comentários sobre o tempo. Serviu-nos um prato de amendoins. Quando voltou para a outra extremidade do comprido balcão, Daniel disse: — Tudo bem, me desculpe.

— Por quê?

— Por insultar a Sra. Tolliver e por ter-me portado de forma desprezível com você. Na verdade costumo ser bastante desagradável. Aliás, é bom você ficar sabendo antes que embarquemos em algum tipo de amizade eterna. — Olhou para mim e sorriu.

— Você não a insultou. — Acrescentei com arrependimento: — Para dizer a verdade, também não gosto muito dela.

— Como é que você consegue ter tanta intimidade com ela?

— Falar com alguém em uma mesa de bridge não é exatamente ter intimidade.

— Mas você a conhece bastante bem, não?

— Não, não conheço. Mas minha mãe costumava jogar bridge com ela quando vínhamos passar alguns dias com Phoebe. Além disso, ontem vim no trem de Londres com a netinha dela, Charlotte Collis. A mãe dela é Annabelle Tolliver. Charlotte veio sentada ao meu lado e parecia bastante infeliz; então fomos almoçar juntas. Ela teve... — decidi não entrar em detalhes sobre a difícil situação de Charlotte — alguns problemas, e não pôde ficar no internato, por isso está passando uma semana com a Sra. Tolliver. Phoebe diz que ela é uma criança solitária; que está sempre no Holly Cottage, só para ter com quem conversar.

Fumando silenciosamente seu charuto, Daniel nada disse. Perguntei-me se não o estava chateando demais e olhei para ver se ele não estaria educadamente reprimindo bocejos. Mas não. Estava simplesmente sentado, com o cotovelo apoiado no bar, sem qualquer expressão em seu perfil, os olhos baixos. A fumaça de seu charuto formava um penacho espiralado e aromático.

Tomei um gole da deliciosa cerveja gelada.

— Segundo Phoebe, a Sra. Tolliver na verdade não queria que Charlotte ficasse. Nem mesmo foi à estação recebê-la, e Charlotte e eu tivemos que dividir o táxi do Sr. Thomas. E a essa altura, hoje, a Sra. Tolliver está jogando bridge, deixando a menina com a governanta. A menina não tem como se divertir. Tem só uns dez anos. Devia estar com outras crianças.

Depois de algum tempo, Daniel disse: — Sim. — Apagou seu charuto fumado pela metade, triturando-lhe a ponta no cinzeiro como se tivesse algum ressentimento contra ele. Terminou o drinque, pousou o copo vazio, e então virou-se, sorriu para mim e surpreendeu-me convidando: — Amanhã. Vem almoçar comigo?

Surpresa, não respondi logo. Emendou rapidamente: — Isto é, se Phoebe puder cedê-la. E emprestar-lhe o carro de novo.

— Acho que ela o faria, sim. Não creio que se importe.

— Pergunte a ela, então, quando voltar.

— Está bem. Devo vir aqui? Para o hotel?

— Não. Vou encontrá-la na Ship Inn, no porto de Porthkerris. Vamos comer um almoço de estivador com um copo de cerveja, e se estiver tudo bem vamos sentar no cais e fingir que somos turistas.

Sorri. — A que horas?

Deu de ombros. — Por volta de meio-dia e meia.

— Tudo bem. — Fiquei muito satisfeita por ter-me convidado. — Meio-dia e meia.

— Ótimo — acrescentou. Agora termine sua cerveja que vou acompanhá-la até o carro.

Emergimos da porta giratória para entrar diretamente na úmida escuridão. Encontramos o carro de Phoebe, e Daniel abriu-me a porta, mas antes que pudesse entrar, colocou a mão em volta de minha nuca, puxou meu rosto em direção ao seu e beijou-me a boca. Seu rosto estava úmido da chuva. Por um instante permanecemos assim, e eu senti a pressão fria de sua face contra a minha.

Dissemos boa-noite. Dirigi atordoadamente de volta para Penmarron, sentindo-me bêbada como se tivesse tomado muito mais que um único copo de cerveja.

Estava doida para contar tudo a Phoebe e para me entregar a discussões mais longas e esclarecedoras a respeito de Daniel, da Sra. Tolliver e de Charlotte, mas quando cheguei de volta ao Holly Cottage, perturbei seu cochilo junto à lareira e ela acordou, admitindo estar muito cansada. Seu braço doía, o aparelho era pesado, o dia tinha sido longo e excitante. Realmente parecia cansada; seu rosto, por baixo da aba do chapéu que o obliterava, estava murcho e sombrio. Portanto, contei-lhe apenas que Daniel me havia convidado para almoçar no dia seguinte e perguntei se havia problema e se podia pegar seu carro emprestado. Ela estava, como sabia que estaria, completamente de acordo, de modo que fui para a cozinha, enchi-lhe um copo de vinho restaurador e fiz ovos mexidos para comermos em frente ao fogo.

Depois disso, apesar de serem apenas oito e meia, ela resolveu ir para a cama; portanto, ajudei-a a subir, liguei o cobertor elétrico e fechei as cortinas contra a fria escuridão. Quando a deixei, aconchegada em sua cama enorme, lia um livro sob a luz do abajur de cabeceira, mas ao fechar a porta e descer para o andar de baixo, sabia que muito em breve ela estaria dormindo.

4

Na manhã seguinte eu já havia saído da cama e descido antes que ela tivesse acordado. Ainda era muito cedo para Lily Tonkins, portanto preparei uma bandeja para o café da manhã de Phoebe, fiz café com torradas e levei tudo para cima. Ela já se encontrava acordada, vendo pela janela aberta o sol se levantar. Quando apareci na porta, virou a cabeça sobre o travesseiro, viu a bandeja e disse, com a energia de sempre: — Você é uma boba, Prue; sabe que nunca tomo café na cama.

— Esta manhã vai tomar. — Recostou-se nos travesseiros, deitei a bandeja em seus joelhos e fui fechar a janela.

— Céu avermelhado pela manhã, mau sinal. Acho que vai chover hoje.

— Não seja tão pessimista. Você não trouxe sua xícara.

— Achei que você gostaria de ficar sozinha.

— Detesto que me deixem sozinha. Gosto de bater papo durante o café da manhã. Vá pegar uma caneca. — Tirou a tampa do bule de café e deu uma olhada em seu interior. — Você fez o bastante para dez pessoas; vai ter que me ajudar a tomá-lo.

Na cama, praticamente o único lugar onde não usava um de seus chapéus arrojados, parecia diferente: feminina; mais velha, talvez; vulnerável. Seu cabelo denso e grosso pendia em trança sobre um de seus ombros, e ela usava um xale felpudo. Parecia estar tão à vontade, que propus:

— Por que não fica aí a manhã toda? Lily pode cuidar de tudo e não há muito o que você possa fazer para ajudar com um braço só.

— Quem sabe — concordou Phoebe, sem se comprometer — talvez faça isso. Mas agora vá pegar uma caneca antes que o café esfrie.

Trouxe não só uma xícara como também uma tigela de cereais e comi, sentada na ponta da enorme cama de pinheiro entalhado que Phoebe e Chips dividiram por todos aqueles anos felizes e pecaminosos. Certa vez ela me disse que as coisas de que mais gostava na vida eram ilegais, imorais ou engordavam, e então caiu na gargalhada.

Mas de alguma forma conseguiram escapar impunes, ela e Chips. Até mesmo naquela pequena vila provinciana, livraram-se da inevitável chuva de preconceitos, apenas pela força de caráter associada a um charme que desarmava. Lembro-me de Chips tocando órgão na igreja quando o organista de costume ficava gripado, e de Phoebe atarefada fazendo bolos enormes e meio despencados para o chá do Instituto da Mulher.

Ela se importava com todos, mas apesar disso não dava a mínima bola para as opiniões dos outros. Olhei para ela comendo torrada com geléia de laranja e a adorei. Ela atraiu minha atenção.

— Que bom que você vai almoçar com Daniel — ela comentou. — A que horas vai encontrá-lo?

— Meio-dia e meia na Ship Inn, em Porthkerris. Mas só vou se me prometer que ficará bem.

— Pelo amor de Deus, não estou em uma cadeira de rodas. Vá, saia com ele. Mas vou querer saber tudo quando voltar. Palavra por palavra. — Seus olhos cintilavam, as bochechas retraídas em um riso malicioso, e ela estava tão obviamente de volta ao seu bom humor habitual que comecei a contar-lhe sobre a noite anterior e nosso encontro com a Sra. Tolliver.

— ... E foi muito constrangedor, pois pensei que Daniel estava bem atrás de mim e disse algo estúpido como "Quero apresentar meu amigo"; quando me virei, ele não estava lá. Havia desaparecido. Direto para o bar.

— A Sra. Tolliver o viu?

— Não tenho a menor idéia. — Refleti sobre isto. — Faz alguma diferença?

— Nã-ã-ão... — disse Phoebe.

Franzi o cenho para ela: — Phoebe, você está escondendo alguma coisa.

Pousou a xícara de café e olhou absortamente pela janela. Passado algum tempo, deu de ombros e abriu-se: — Oh, está bem, acho que agora não faz mal falar sobre isso. De qualquer forma, tudo aconteceu muito tempo atrás. São águas passadas. E não era nada tão terrível, nem mesmo naquela época.

— O que não era terrível?

— Bem... quando Daniel morou conosco, quando era bem moço, Annabelle Tolliver veio de Londres passar o verão com a mãe, e... bem... Creio que se possa dizer que tiveram um pequeno caso. Um casinho — acrescentou esperançosamente, tentando fazer com que parecesse trivial.

Daniel e Annabelle Tolliver. Olhei fixamente para Phoebe. — Ele paquerou Annabelle, você quer dizer.

— Paquerou. — Deu uma risadinha. — Que palavra tão adorável e fora de moda. Assim como "camisolão". Ninguém mais usa camisolão. — Deu um suspiro e voltou ao assunto. — Não, não exatamente. Verdade seja dita, acho que Annabelle é que paquerou o Daniel.

— Mas ela devia ser bem mais velha do que ele.

— Ah, com certeza. Pelo menos oito anos.

— E casada.

— Sim, casada, também. Mas, já lhe disse, isso nunca fez muita diferença para Annabelle. Ela tinha um filho, na época. Michael. Devia ter uns quatro anos. Pobre criança, já naquela época, eu me lembro, era a cara do pai!

— Mas... — As divagações intermináveis de Phoebe em nada esclareciam a situação. — O que *aconteceu*?

— Ora, diabos, não aconteceu nada. Eles costumavam ir juntos a festas, piqueniques na praia, nadar. Naquele verão ela tinha um carro muito vistoso. Tinha uma capota dobrável, e eles costumavam andar juntos de carro por todos os cantos; também eles eram muito vistosos. Chamavam muita atenção. Ah, você pode imaginar, Prue.

Sim, eu podia. Só que nitidamente demais. — Mas eu nunca poderia imaginar que Daniel... — contive-me, pois não tinha certeza do que havia pensado.

— Você não podia imaginar que Daniel fosse do tipo sociável. Talvez não fosse, mas era um jovem muito atraente. Ainda é, a propósito. E tê-la tão ansiosa por gastar seu tempo com ele deve ter-lhe lisonjeado o ego. Já lhe disse, ela era linda. Havia sempre filas de homens caindo por ela que nem vacas perdidamente apaixonadas. Ou seriam touros perdidamente apaixonados? Mas Daniel sempre foi uma pessoa muito fechada. Acredito que foi sua quietude que intrigou Annabelle.

— Quanto tempo isso durou?

— O verão todo, começando e parando. Era só um pequeno flerte. Completamente inofensivo.

— E o que é que a Sra. Tolliver tinha a dizer sobre isso?

— Ela nunca diz nada a respeito de coisa alguma. É o

tipo da mulher que acredita piamente que aquilo que não se vê desaparece. Além disso, ela deve ter percebido que, se não fosse Daniel, seria algum outro homem. Talvez tenha suposto que ele fosse, dos males, o menor.

— Mas, e o menino... Michael?

— Havia uma babá toda engomada tomando conta dele. Ele nunca atrapalhou, de jeito nenhum.

— E o marido dela... — Eu mal podia pronunciar o seu nome horroroso. — Leslie Collis?

— Tinha ficado em Londres, tocando seu escritório. Suponho que morando em um apart-hotel ou coisa parecida. Não faço idéia. De qualquer forma, não importa.

Revi cuidadosamente aquela extraordinária revelação. Finalmente arrisquei: — Então, na noite passada... você acha que foi por isso que Daniel não quis falar com a Sra. Tolliver?

— Talvez. Pode ser que ele só não quisesse se envolver com quatro senhoras que jogavam bridge.

— Gostaria de saber por que ele mesmo não me contou.

— Não havia qualquer motivo para que ele contasse. Isso nada tem a ver com você, e, de qualquer forma, foi um fato totalmente irrelevante. — Serviu-se de mais café e disse animadamente: — Você não tem que tirar conclusão alguma disso.

— Não estou tirando. Só gostaria de que tivesse sido qualquer uma, menos Annabelle Tolliver.

Céu avermelhado pela manhã, mau sinal. Mas era o tipo do dia que não se pode ter certeza do que iria acontecer com o tempo. O tipo do dia quente, com ventos de oeste, com rajadas que arrancavam as folhas das árvores e as faziam voar, e salpicava de marolas brancas o mar cor de anil. O céu estava de um azul resplandecente, varrido por nuvens altas, e o próprio ar parecia brilhar. Do alto da colina acima de Porthkerris, eu podia ver a quilômetros de distância, muito além do farol, até o distante pico do Trevose Head. Do porto, bem abaixo de onde eu estava, saía um barco pesqueiro solitário, avançando às marradas contra as marolas em direção às águas profundas que ficavam abaixo dos penhascos de Lanyon.

O caminho íngreme descia morro abaixo, passando pelas ruas estreitas da pequena cidade. A maioria dos veranistas já havia partido. Apenas um punhado deles, enregelados em seus calções, plantados sem fazer nada perto da banca do jornaleiro ou seguindo morro abaixo em direção a uma padaria que exalava o aroma de pastelões quentes de carne fresquinhos.

Em Porthkerris a Ship Inn fica na rua do porto, perto do velho cais onde os pescadores costumavam descarregar suas sardinhas, onde esteve por trezentos anos ou mais. Passei por ela, mas não havia nem sinal de Daniel; então encontrei um lugar para estacionar o Volkswagen, voltei a pé pelo calçamento de pedras e entrei, enfiando a cabeça debaixo do dintel de pouca altura e escurecido pela fumaça. Dentro, em contraste com a luminosidade do dia, estava bem escuro. Um pequeno braseiro queimava na lareira, e um homem idoso achava-se sentado perto dela, como se ali estivesse por toda a sua vida, ou, quem sabe, houvesse brotado das tábuas do assoalho.

— Prue.

Virei-me. Daniel estava no assento largo ao pé da janela, com uma caneca grande, vazia, sobre uma mesa bamba feita de um barril. Levantou-se, esgueirando-se por trás da mesa, e aventou: — O dia está bonito demais para se almoçar em um lugar fechado. O que você acha?

— Então, o que faremos?

— Vamos comprar alguma coisa. Para comer na praia.

Assim, saímos novamente e seguimos rua abaixo até chegarmos a uma dessas lojas de conveniências que parecem vender de tudo. Compramos pastelões de carne frescos, tão quentes que o vendedor teve que embrulhá-los em jornal. Compramos uma sacola de maçãs, biscoitos de chocolate, um pacote de copos de papel e uma garrafa de um vinho tinto meio duvidoso. Quando o gentil rapaz percebeu que íamos beber logo, acrescentou também um saca-rolhas.

Saímos de volta para o sol, atravessamos a rua e descemos os degraus de pedra, secos no alto mas cobertos de algas verdes no outro extremo. A maré estava baixando e havia deixado para trás uma faixa limpa de areia amarela na forma da lâmina de uma foice. Havia um conjunto de rochas arredondadas por séculos de ondas marítimas; sobre elas nos instalamos, abrigados do vento e com o sol batendo em nossos rostos. Gaivotas giravam ao vento gritando. Proveniente do local onde alguns homens trabalhavam tranqüilamente em um barco, chegava-nos o som agradável de batidas de martelo e de vozes abafadas.

Daniel abriu a garrafa de vinho e desembrulhamos os pastelões. De repente fiquei com muita fome. Mordi gulosamente o meu, mas estava tão quente que quase escaldei a boca. Alguns pedaços fumegantes de batata caíram do pastelão na areia, para serem avistados e apanhados em instantes por uma enorme gaivota gulosa.

— Essa foi uma idéia brilhante — comentei.

— De vez em quando eu tenho alguma.

E imaginei que, se fosse Nigel, provavelmente estaríamos almoçando no Castle Hotel, com toalhas de mesa brancas e garçons rondando, atrapalhando a conversa. Daniel havia tirado a rolha da garrafa, e agora tomava um gole de vinho, avaliando seu sabor.

— Um vinhozinho agradável e despretensioso — sentenciou —, caso você não se importe que esteja gelado. Não creio que seu *bouquet* fique melhor, bebendo-o em um copo de papel, mas os mendigos não têm escolha. A única alternativa parece ser o gargalo. — Deu uma mordida em seu pastelão. — Como estava Phoebe esta manhã?

— Estava cansada ontem à noite. Foi para cama cedo e hoje levei-lhe o café para tomar na cama, e ela me prometeu que ficaria lá até a hora do almoço.

— Como é que ela se arranjaria, caso você não pudesse ter vindo a Penmarron para tomar conta dela?

— Teria dado um jeito. Lily teria cuidado dela, mas só que Lily não dirige, e Phoebe odeia ficar sem carro.

— Você pôde sair de seu trabalho assim, sem mais nem menos? Como é que Marcus Bernstein se arranja sem você?

— Eu estaria mesmo de férias por duas semanas, de modo que não houve problema. Ele já havia contratado uma temporária para me substituir enquanto eu estivesse fora.

— Está querendo dizer que tinha duas semanas de férias e não ia fazer nada para aproveitá-las? O que é que ia fazer, ficar em Londres?

— Não, para falar a verdade, pretendia ir à Escócia.

— Escócia? Pelo amor de Deus, o que é que você ia fazer lá?

— Passar uns dias com algumas pessoas.

— Já foi alguma vez à Escócia?

— Não. Você já?

— Uma vez. Todo mundo vivia me dizendo como era

bonita, mas choveu tão forte que nunca descobri se estavam dizendo a verdade ou não. — Comeu outro bocado do pastelão. — Com quem você ia ficar?

— Com amigos.

— Você está sendo evasiva, não está? Tanto faz me contar logo tudo ou não, pois vou ficar fazendo perguntas até que me dê alguma resposta. É um namorado, não é?

Tentava não olhar para ele. — Por que seria?

— Porque você é atraente demais para não ter algum homem morrendo de amor por você. Além disso, está com uma cara muito esquisita. Uma neutralidade meio sem jeito.

— Tenho certeza de que essa é uma contradição de termos.

— Como é o nome dele?

— Ele quem?

— Oh, deixe de melindres. Seu namorado, é claro.

— Nigel Gordon.

— Nigel. Nigel é um dos nomes de que menos gosto.

— Não é pior que Daniel.

— É um nome típico de político conservador. Timothy também sugere um político conservador. Jeremy também. E Christopher. E Nicholas.

— Nigel não é um político conservador.

— O que é ele, então?

— É uma boa pessoa.

— Em que trabalha?

— É corretor de seguros.

— E é da Escócia?

— Sim. Sua família vive lá. Em Inverness-shire.

— Mas que coisa danada de boa não ter ido. Você teria odiado. Uma casa grande e sem aquecimento, com dormitórios frios como geladeiras e banheiros forrados de mogno, parecendo ataúdes.

— Daniel — pilheriei —, você faz mais generalizações ridículas que qualquer homem que eu já tenha conhecido.

— Você não se casaria com ele, não é? Com esse corretor de seguros das montanhas? Não, por favor. Não agüento pensar em você usando saiote escocês e vivendo em Inverness-shire.

Quase ri, mas consegui manter uma expressão altiva.

— Eu não iria viver em Inverness-shire. Moraria na agradável residência de Nigel em South Kensington. — Joguei o que restava de meu pastelão para as gaivotas e me servi de uma maçã, esfregando-a na manga de meu suéter para dar-lhe brilho. — E tampouco teria que trabalhar. Não teria que ir me arrastando para o escritório de Marcus Bernstein toda manhã. Eu seria uma dondoca, com tempo para fazer tudo o que quisesse, ou seja, pintar. E pouco me importaria se ninguém comprasse meus quadros, pois meu marido lá estaria, pronto para pagar todas as contas.

— Julguei que você pensasse como Phoebe — ironizou Daniel. — Estou desiludido.

— Talvez algumas vezes eu pense como minha mãe. Ela gosta de uma vida agradável, organizada, convencional e segura. Adora o Nigel. Está doida para que me case com ele. Mal pode esperar para começar a planejar o casamento. St. Paul's, Knightsbrigde e uma recepção no Pavilion Road...

— E uma lua-de-mel em Budleigh Salterton, com os tacos de golfe no porta-malas do carro. Prue, você não pode estar falando sério.

Mordi um naco grande da maçã brilhante.

— Pode ser que esteja.

— Não com relação a um homem chamado Nigel.

Eu estava começando a ficar irritada.

— Você não sabe nada a respeito dele. E, afinal de contas, o que há de tão ruim em me casar? Você pensa em Phoebe, pensou em Chips. Mas, sabe, eles teriam se casado, há muitos anos; bastava que Chips tivesse conseguido o divórcio. Mas não conseguiu. Então eles se comprometeram, e procuraram tirar o melhor proveito de sua convivência.

— Não vejo nada errado em se casar. Só acho loucura se casar com a pessoa errada.

— Suponho que você nunca tenha cometido esse erro.

— Não, na verdade, nunca. Já fiz quase de tudo. Cometi todos os tipos de erros, mas me casar não foi um deles. — Parecia estar refletindo sobre a situação. — Na verdade, nem mesmo pensei nisso.

Sorriu-me e sorri de volta, pois sem qualquer razão especial eu estava cheia de contentamento, simplesmente porque ele nunca havia se casado. E, no entanto, eu não estava surpresa. Havia algo de nômade, de livre, em Daniel, e descobri que eu tinha inveja disso.

— Gostaria de que houvesse tempo na vida para fazer de tudo — queixei-me.

— Você tem tempo.

— Eu sei, mas parece que já caí em uma espécie de rotina. Gosto da rotina. Gosto de meu trabalho, estou fazendo exatamente o que quero, gosto muito de Marcus Bernstein e não mudaria de emprego por nada neste mundo. Mas algumas vezes, em certas manhãs, dirijo para o trabalho pensando "Já tenho vinte e três anos, o que vou fazer da minha vida?" E começo a pensar em todos os lugares que anseio por conhecer. Kashmir, Bahamas, Grécia e Palmyra. E São Francisco, Pequim e Japão. Gostaria de ter estado em alguns desses lugares em que você esteve.

— Então vá. Vá agora.

— Você faz parecer tão simples.

— E pode ser. A vida é tão simples quanto se faz com que seja.

— Talvez eu não tenha esse tipo de coragem. Mesmo assim, gostaria de ter feito algumas das coisas que você fez.

Daniel riu.

— Não queira isso. Algumas delas foram infernais.

— Não é possível que continuem sendo. Tudo está indo tão bem para você agora.

— A incerteza é sempre um inferno.

— Sobre o que tem tanta incerteza?

— Sobre o que vou fazer em seguida.

— Isso não devia ser tão assustador.

— Tenho trinta e um anos. Dentro dos próximos doze meses tenho que tomar alguma decisão: receio estar andando à deriva. Não quero andar à deriva pelo resto da vida.

— O que é que você quer fazer?

— Quero...

Inclinou-se para trás contra o granito saliente do paredão do cais, virou o rosto para o sol e fechou os olhos. Parecia um homem que ansiava pelo alívio do sono.

— Quando essa exposição no Peter Chastal terminar, quero ir à Grécia. Lá existe uma ilha chamada Spetsai, e nela há uma casa, quadrada e branca como um cubo de açúcar. Tem um terraço com piso de terracota e gerânios em vasos ao longo do alto da parede. E abaixo do terraço há um ancoradouro e um barco com uma vela branca como a asa de uma gaivota. Não é um barco grande. É grande o bastante para dois. — Esperei. Ele abriu os olhos e concluiu: — Acho que vou para lá.

— Faça isso.

— Você iria? — Estendeu-me a mão. — Gostaria de ir me visitar? Você acabou de me dizer que queria ir à Grécia. Você iria e me deixaria mostrar-lhe algumas de suas glórias?

Fiquei muito comovida. Deixei minha mão na dele e senti seus dedos se fecharem em torno de meu pulso. Como era diferente, assustadoramente diferente, do penoso convite que me havia feito Nigel para visitar sua mãe em Inverness-shire. Dois mundos diferentes. *A insegurança de dois mundos diferentes se tocando.* Fiquei em dúvida se estava ou não prestes a irromper em lágrimas.

— Algum dia — murmurei, com a voz de uma mãe aplacando um filho insistente. — Algum dia, talvez, tenha condições de ir.

O céu anuviou-se, e a temperatura caiu. Era hora de nos mexermos. Recolhemos os restos do piquenique, encontramos uma pequena lixeira perto de um poste de iluminação e jogamos todo o lixo em seu interior. Caminhamos de volta para o local em que deixara o carro de Phoebe e, lá chegando, havia cheiro de chuva no ar, o mar ficara agitado e cor de chumbo.

Céu avermelhado pela manhã, mau sinal. Entramos no carro e lentamente voltamos para Penmarron. O aquecedor de Phoebe não funcionava, e eu sentia frio. Sabia que haveria uma lareira acesa no Holly Cottage, e possivelmente bolinhos doces para o chá; mas eu não pensava em nada disso. Minha mente estava cheia de imagens da Grécia, da casa acima da água e do barco com uma vela que parecia a asa de uma gaivota. Pensava em nadar naquele escuro mar Egeu, a água quente e límpida como vidro...

Veio-me uma lembrança.

— Daniel.

— O que é?

— Naquela noite em que desci do trem vindo de Londres, tive um sonho. Sobre natação. Eu estava em uma ilha deserta e tinha que caminhar uma distância muito longa através da água rasa. E então, de repente, a água ficou profunda, mas tão clara que eu podia ver até o fundo. E quando comecei a nadar, havia uma correnteza. Muito rápida e forte. Era como ser arrastada rio abaixo.

Lembrei-me novamente da sensação de paz, de exultante aceitação.

— O que aconteceu então?

— Nada. Mas foi delicioso.

— Parece ter sido um sonho bom. O que a fez lembrar-se dele?

— Estava pensando na Grécia. Em nadar nos mares retintos de Homero.

— Todos os sonhos têm um significado.

— Eu sei.

— O que acha que esse significava?

— Acho que talvez fosse a respeito da morte — confidenciei-lhe.

Mas isso foi antes de Daniel entrar em minha vida. Agora eu tinha uma visão mais completa e sabia que o sonho nada tinha a ver com a morte, e sim com o amor.

Quando chegamos ao Holly Cottage, não havia nem sinal de Phoebe. A sala de estar, com a lareira acesa, estava deserta, e quando gritei para o andar de cima, pensando que talvez ela tivesse passado o dia todo na cama, não houve resposta.

Mas ouvi sons de louça batendo e gavetas se abrindo, vindos da cozinha. Atravessei o corredor com Daniel atrás de mim para abrir a porta e investigar, para descobrir logo em seguida Lily Tonkins batendo uma tigela de massa.

— Então você voltou — ela disse. Não parecia muito contente em nos ver, e perguntei-me se não estava com um de seus ataques de mau humor. Lily era capaz de ser muito mal-humorada. Não conosco em particular, mas com o mundo em geral, o que incluía seu marido rabugento, a garota insolente que trabalhava na mercearia e o homem da prefeitura que tratava da sua pensão.

— Onde está Phoebe? — perguntei.

Lily não tirou os olhos de sua tarefa. — Foi até a água.

— Eu queria que ela ficasse de cama hoje.

— De cama? — Lily pousou a tigela com um baque e me encarou com as mãos nos quadris. — Como se ela tivesse tido alguma chance de ficar de cama. Aquela menina, Charlotte Collis, está aqui o dia todo, desde as dez da manhã. Eu tinha acabado de levar uma deliciosa xícara de chá para a Srta. Shackleton e estava polindo os metais quando ouvi um toque de campainha. Droga, disse a mim mesma, e fui até a porta, e lá estava ela. E por aqui ficou desde então.

— Onde está a Sra. Tolliver?

— Foi até Falmouth para alguma reunião. Salve as Crianças, ou Salve a Igreja, ou coisa que o valha. Acho engraçado. Quero dizer, eu entendo que algumas pessoas não gostem de cuidar de crianças. Algumas gostam e outras não. Mas ela é a avó daquela menina. Não tem nada que estar o tempo todo jogando cartas e salvando as coisas. Alguém tem que cuidar da menina.

— Onde está a Sra. Curnow?

— Betty Curnow está lá, com certeza, no White Lodge, mas tem o trabalho dela para fazer. Se a Sra. Tolliver não se pode dar o incômodo de cuidar da criança, então devia pagar a alguém para fazer esse trabalho.

— E então, o que aconteceu?

— Bem, eu a deixei entrar, pobrezinha, e disse que a Srta. Shackleton ainda estava na cama e que você havia saído para almoçar. Então ela subiu as escadas para ver a Srta. Shackleton, e eu as ouvi conversando. Falaram, falaram, você pode até pensar que aquela criança nunca teve uma bendita pessoa com quem conversar, pelo modo como ela fica excitada quando está aqui. Então ela desceu, a menina, e disse que a Srta. Shackleton estava se levantando e se vestindo. E isso me deixou irritada, porque eu sabia que ela estava precisando de um bom descanso. Então subi e lhe dei uma ajuda com as roupas; aí ela desceu, ligou para Betty Curnow e disse que íamos ficar com a Charlotte aqui e dar o almoço a ela. Por sorte, havia um pouco de carne de cordeiro gelada; descasquei algumas batatas e fiz um pudim, mas não está certo a Srta. Shackleton acabar ficando com a obrigação de cuidar da criança, ainda mais com o problema daquele braço e tudo mais.

Nunca tinha visto Lily tão loquaz e transtornada. Estava preocupada, e com razão, com Phoebe. Mas, também, tinha um bom coração. Os habitantes da Cornualha amam as crianças, e Lily não era exceção. Convenceu-se de que Charlotte estava sendo negligenciada, e toda a sua ira estava, sem dúvida, à flor da pele.

— Desculpe — reconheci. — Eu devia ter estado aqui para ajudá-la.

Daniel tinha escutado tudo em silêncio. Então perguntou: — Onde estão elas?

— Foram até a praia, fazer seus desenhos. É o que gostam de fazer quando estão juntas, como duas velhas.

— Afastou-se da mesa e foi até a pia para olhar pela janela. Daniel e eu a seguimos. Vimos o estuário vazio, as areias desertas. Mas no lado mais longínquo do quebra-mar pudemos distinguir as duas figuras distantes: Phoebe, inconfundível com seu chapéu, e a criança a seu lado, usando um anoraque escarlate. Tinham levado banquinhos de armar e estavam sentadas lado a lado, muito juntas. Havia algo de comovente na dupla que formavam. Esquecidas do resto do mundo, pareciam ter sido levadas por alguma tempestade inimaginável, e esquecidas.

Enquanto ali estávamos, ouviu-se subitamente o primeiro tamborilar dos pingos de chuva contra a vidraça da janela, e Lily exclamou: — Está vendo? — como se tivesse previsto isso mesmo. — Agora cai essa maldita chuva. E a Srta. Shackleton nem percebe. Depois que ela começa a desenhar, tudo pára. Você pode se esgoelar que ela nem vai notar. E com aquele gesso no braço, pobrezinha...

Tinha chegado, obviamente, o momento de intervir.

— Vou buscá-las — declarei.

— Não. — Daniel impediu-me, pondo a mão em meu braço. — Está chovendo. Eu vou.

— Você vai precisar de uma capa, Daniel — preveniu-o Lily, mas ele achou um guarda-chuva no vestíbulo e saiu armado com ele. Fiquei vendo seu progresso, o guarda-chuva bem alto por cima da cabeça, ao descer atravessando o gramado e desaparecer pelo portão da sebe de escalônias. Instantes depois apareceu novamente, avançando pela beira do quebra-mar em direção às duas artistas que nem imaginavam a possibilidade de alguém estar chegando.

Lily e eu nos afastamos da janela.

— O que posso fazer para ajudá-la? — perguntei.

— Você podia pôr a mesa para o chá.

— Vamos tomá-lo aqui. Está tão gostoso e quentinho.

— Estou fazendo uma fornada de panquecas. — Pegou a tigela e começou a bater novamente. Parecia mais alegre, depois de ter desafogado suas mágoas, e eu estava agradecida por isso.

— Amanhã vou fazer alguma coisa com Charlotte — informei. — Levá-la de carro a algum lugar, talvez. Ela tem estado em minha mente desde que cheguei, só que não parece ter havido muito tempo para combinar nada.

— Olhe, ela é uma menina muito boazinha.

— Eu sei. Mas de certo modo isso só torna as coisas mais difíceis.

A mesa estava posta, os bolinhos de aveia prontos, a chaleira fervendo, e eles ainda não haviam voltado.

— Esse Daniel — observou Lily. — Ele é inconseqüente como todos os outros. Provavelmente esqueceu o que foi buscar, e sentou-se com elas para pintar um quadro para ele…

— É melhor eu ir. — Encontrei uma velha capa de chuva de Phoebe e um enorme chapéu de pescador que outrora pertencera a Chips, e saí pela porta que dava para o jardim. Chovia bem forte, então, mas no momento em que comecei a atravessar o gramado Daniel e Phoebe apareceram no portão, ele trazendo os banquinhos de armar debaixo de um braço e segurando o guarda-chuva por cima da cabeça de Phoebe com o outro. Exceto pelo chapéu, Phoebe estava vestida como se estivesse indo a uma excursão ensolarada, e seu casaco de lã, formando uma massa em volta do gesso, estava encharcado, os sapatos e meias grossas cobertos de lama. Carregava sua sacola de pintura, uma peça robusta feita de lona e minha velha conhecida, e, enquanto Daniel lhe abria o portão, olhou para cima e me viu.

— Olá! Aqui estamos, um bando de ratos afogados!

— Lily e eu estávamos imaginando o que teria acontecido com vocês.

— Charlotte ainda não havia terminado, e queria fazê-lo.

— Onde é que ela está?

Olhei para além dela, e vi Charlotte ao pé do morro. Estava de costas para mim, olhando para o interior de uma moita de amoras silvestres que gotejava a água da chuva.

Resignada, resmunguei: — Acho melhor ir até lá. — E comecei a descer a encosta molhada e escorregadia. — Charlotte! Venha.

Ela se virou, olhou para cima e me viu. Seus cabelos estavam colados à cabeça, e os óculos, embaçados de chuva.

— O que *é* que você está fazendo?

— Estou catando amoras-pretas. Achei que podia haver algumas.

— Você não devia estar catando amoras, devia estar subindo para o chá. Lily fez panquecas.

Ela se moveu com relutância. — Está bem. — Nem mesmo a tentação das panquecas quentes despertou-lhe muito entusiasmo. Imaginei que seria fácil perder as estribeiras com ela; no entanto, compreendi sua relutância em pôr fim a uma tarde passada na maravilhosa companhia de Phoebe. Lembrei-me de mim mesma na idade de Charlotte, arrastando-me para casa depois de um dia com Phoebe, passado talvez na praia, ou colhendo prímulas, ou então indo no pequeno trem até Porthkerris. Sempre fora um esforço arrastar-me de volta à rotina, às refeições e à vida mundana, cotidiana.

Estendi a mão para ela. — Quer um reboque morro acima?

Tirou a mão do bolso do anoraque e pegou a minha. Senti-a magra, pequena, molhada e fria.

— O que você precisa é de uma boa massagem com uma toalha e uma bebida quente — sugeri. Partimos encosta acima. — Teve uma tarde boa com Phoebe?

— Sim. Estivemos desenhando.

— Imagino que vocês nem notaram a chuva.

— Não, na verdade não. Meu papel estava começando a ficar um pouco molhado, mas então aquele homem chegou e segurou o guarda-chuva por cima dele e eu pude terminar.

— O nome dele é Daniel.

— Eu sei. Phoebe me falou a respeito dele. Ele morou com ela e Chips.

— Agora ele é um artista famoso.

— Sei disso, também. Ele disse que o meu desenho estava muito bom.

— O que é que você desenhou?

— Tentei desenhar algumas gaivotas, mas elas estavam sempre voando para longe; então fiz um desenho inventado.

— Isso mostra muita iniciativa.

— Ele disse que estava muito bom.

— Espero que não o tenha deixado para trás.

— Não. Phoebe guardou-o na bolsa.

Ofegantes a essa altura, continuamos em silêncio a caminhar com dificuldade. Chegamos ao portão. Abri-o, e, enquanto Charlotte entrava, disse: — Tenho procurado imaginar como é que você tem passado. Eu lhe teria telefonado, ou convidado para o chá, só que tenho andado tão... — Hesitei, procurando a palavra certa. "Ocupada" parecia pouco verdadeiro.

— Não é muito divertido — respondeu Charlotte com a honestidade absoluta de uma criança.

Fiz uma cara alegre. — Bem, talvez amanhã a gente possa fazer alguma coisa juntas. — Fechei o portão às nossas costas. — Ir a algum lugar de carro, se Phoebe não precisar dele.

Charlotte refletiu. Então perguntou: — Você acha que Daniel gostaria de ir também?

Assim que entramos na cozinha, Lily, entre irritada e risonha, precipitou-se sobre Charlotte, abrindo o zíper de seu casaco ensopado e ajoelhando-se para batalhar com as fivelas de suas sandálias.

— Não sei como é que algumas pessoas podem ser assim tão tontas. A Srta. Shackleton, bem, nunca vi ninguém tão molhada. Eu disse a ela que fosse para cima mudar toda a roupa, e ela só fez rir e dizer que não fazia mal. Vai fazer mal, sim, quando ela pegar uma pneumonia. Vocês não repararam que estava chovendo?

— Nem tanto — respondeu Charlotte.

Lily pegou uma toalha seca, tirou os óculos de Charlotte, enxugou-lhe cuidadosamente as lentes, e então colocou-os delicadamente de volta, ajustando-os bem em seu narizinho. Com a mesma toalha, começou a enxugar os cabelos da criança, esfregando-os como se estivesse secando um cachorrinho molhado, resmungando o tempo todo. Deixei-as entregues a isso e fui tirar a capa e o chapéu de pescador, estendendo-os por cima do aquecedor do vestíbulo para secar.

A porta da sala de estar de Phoebe estava aberta. Do outro lado o fogo ardia, as chamas se refletiam no guarda-fogo de bronze e em todas as pequenas quinquilharias polidas que ficavam em volta: um pote de cobre, uma moldura de fotografia de prata, a cúpula de uma luminária. À frente do fogo, com um cotovelo sobre o console da lareira e um pé sobre o guarda-fogo, encontrava-se Daniel. O perfil de seu rosto abatido se refletia no espelho pendurado acima da lareira, e com a mão segurava uma folha de papel, que ele parecia estudar.

Entrei, e ele ergueu os olhos.

— Eu trouxe Charlotte. Está com Lily se secando. Estava catando amoras. — Fui ficar ao lado dele, estendendo minhas mãos geladas para o calor do fogo. — O que é que você estava olhando?

— Este pequeno desenho que ela fez. Ela é muito boa.

Estendeu-me o desenho e se afastou da lareira para afundar-se, reclinado, nas fartas profundezas da velha poltrona de Chips. Parecia cansado, o queixo afundado no peito, as pernas compridas esticadas à sua frente. Olhei para o desenho de Charlotte e vi de imediato o que ele queria dizer. Era o trabalho de uma criança, mas imaginativo e com traços limpos. Ela havia usado canetas hidrográficas, e as cores primárias brilhantes me faziam lembrar as pequenas pinturas a óleo da própria Phoebe. Vi o barco vermelho deslizando suavemente por um mar cobalto, a vela recurvada e inflada pelo vento. Havia uma pequena figura humana ao leme usando um gorro de marinheiro, e no convés de proa um grande gato bigodudo.

Sorri. — Gosto do gato.

— Gosto do desenho todo.

— É uma imagem muito alegre. E isso é esquisito, pois não acho que ela seja uma criança particularmente alegre.

— Eu sei — disse Daniel. — Isso é tranqüilizador.

Coloquei o desenho no console da lareira, apoiado no relógio de Phoebe. — Eu disse que amanhã a levaria a algum lugar. Ela não está se divertindo muito com a avó. Pensei em ir a algum lugar de carro.

— Seria generoso.

— Ela parece achar que seria mais divertido se você viesse, também.

— É — proferiu Daniel. Não parecia particularmente animado com a idéia. Perguntei-me se ele já não estava se cansando da companhia feminina, ou quem sabe a idéia de um dia com Charlotte e eu não exercesse qualquer fascínio sobre ele. Naquele instante, preferia não ter dito nada sobre isso.

— Provavelmente você tem coisas melhores a fazer.

— Sim — disse ele. E em seguida: — Vamos ver.

Vamos ver. Parecia os adultos que costumavam me enfurecer quando criança, usando essas mesmas palavras quando não podiam, ou, quem sabe, não queriam, comprometer-se.

Chips fez o carrossel para mim. Era meu. Disse ao dá-lo a mim que, se quisesse, poderia levá-lo para Londres, mas preferi não fazê-lo. O carrossel fazia parte do Holly Cottage, e eu era tão tradicionalista que preferi deixá-lo aqui.

Continuava onde sempre esteve, na parte de baixo do enorme armário bojudo de estilo francês que ficava em uma extremidade da sala de estar de Phoebe. À tardinha, depois de o chá ter sido recolhido e as louças lavadas, Charlotte foi pegá-lo. Carregou-o cuidadosamente e colocou-o sobre a mesa em frente ao fogo.

Chips o havia feito de um gramofone antigo. Removera-lhe a tampa e o braço da agulha e cortara um círculo de compensado do mesmo tamanho de um disco comum, com um orifício no centro para encaixar no eixo central do gramofone. Esse disco fora pintado de um vermelho-escuro brilhante, e os animais foram fixados ao longo de seu perímetro. Também eles tinham sido cortados de chapas de compensado, com a pequena serra tico-tico de Chips. Havia um tigre, um elefante, uma zebra, um pônei, um leão e um cachorro, cada qual colorido com listras ou pontos próprios e ostentando uma sela de cor brilhante, com pequenos arreios e rédeas feitos de cordão dourado.

Com ele, podia-se brincar de várias coisas. Algumas vezes, juntamente com blocos de armar, bonequinhos que representavam pessoas da fazenda e alguns animais de madeira remanescentes de uma defunta Arca de Noé, tornava-se um dos componentes de uma feira ou de um circo. Mas o mais comum era brincar com ele tal como era, girando a manivela para acionar o mecanismo e comutando a alavanca que fazia girar o prato. Havia, também, outra alavanca para regular a velocidade. Você podia começar bem devagar (dando tempo para que as pessoas subissem, costumava dizer Chips) e então aumentar a velocidade até que os animais rodopiassem tão depressa que mal podiam ser vistos.

Charlotte fazia isso naquele momento. Era como ficar olhando um pião a rodar. Finalmente acabou a corda do mecanismo, e o carrossel diminuiu lentamente a velocidade até se deter.

Ela agachou-se sobre os calcanhares e movimentou o prato com a mão, olhando com atenção a cara de cada animal sucessivamente.

— Eu simplesmente não sei *qual* é o meu favorito.

— O meu sempre foi o tigre — revelei-lhe. — Tem uma cara tão feroz!

— Eu sei. É um pouco como os tigres de *Little Black Sambo*, não é? E, sabe, quando os animais giram bem depressa parecem um pouco com os tigres do *Little Black Sambo* rodando em volta da árvore e virando manteiga.

— Pode ser — disse Phoebe — que Lily tenha feito nossas panquecas com manteiga de tigre, como fez a mãe de *Little Black Sambo.*

— Por que é que você tinha que fazer os gramofones antigos rodar depressa e devagar? Quer dizer, tem de tudo no estéreo de meu pai em casa, lá em Sunningdale, mas não acho que tenha uma alavanca para fazê-lo andar depressa ou devagar.

— Era muito divertido — contou-lhe Phoebe. — Você podia fazer um disco comum girar bem devagar, e ele parecia um russo enorme cantando em baixo profundo. E então você podia fazê-lo girar depressa, e tudo ficava estridente e agudo. Como um camundongo cantando.

— Mas *por quê?* Por que era assim?

Phoebe confessou: — Não tenho a menor idéia — o que sempre fora sua muito sensata réplica às perguntas para as quais não tinha resposta.

Charlotte virou-se para mim. — Você sabe?

— Não. Não sei.

— E você? — dirigiu-se a Daniel.

Ele tinha estado em silêncio todo o tempo. Aliás, tinha estado em silêncio durante quase todo o chá. Agora estava de volta à poltrona de Chips, aparentemente vendo o carrossel conosco, ainda que de certa forma distante e recolhido. Então olhamos todos para ele, cheios de expectativa, mas ele nem tinha reparado que Charlotte lhe havia dirigido a palavra, e ela teve que perguntar novamente: — Você sabe, Daniel?

— Sei o quê?

— Você sabe por que a música fica estridente quando está rápida, e baixo profundo quando está devagar?

Ele refletiu sobre a pergunta com algum cuidado e então sugeriu que talvez tivesse algo a ver com a força centrífuga.

Charlotte torceu o nariz. — O que é *isso?*

— É o que faz a secadora giratória funcionar.

— Eu não tenho uma secadora giratória.

— Bem, quando você crescer, talvez tenha uma; vai vê-la funcionar e então saberá o que é força centrífuga.

Charlotte começou a dar corda no gramofone novamente. Acima de nós, no console da lareira, o relógio de Phoebe soou cinco horas.

— Charlotte, talvez esteja na hora de você voltar para casa — disse Phoebe delicadamente.

— Oh, eu *tenho* que ir?

— Não, não tem, mas eu disse que você estaria de volta às cinco.

Charlotte olhou para cima, com a expressão de quem estava prestes a chorar.

— Eu não quero ir. Aliás, eu não posso ir andando de volta, porque está chovendo.

— Prue vai levá-la em meu carro.

— Aaah...

Temendo as lágrimas, eu disse rapidamente: — E não se esqueça, temos um compromisso amanhã. Vamos sair juntas de carro. Você quer que eu vá buscá-la?

— Não. Eu odeio ser buscada porque detesto esperar. Sempre fico com medo de que as pessoas não apareçam. Eu venho para cá. Venho andando, como hoje de manhã. A que horas devo chegar?

— Oh, que tal por volta das dez e meia?

— Está bem.

Daniel havia se colocado de pé. — Aonde vai? — perguntou-lhe Phoebe.

— Preciso ir também — respondeu-lhe.

— Mas eu pensei que você ia ficar para jantar com Prue e comigo. Lily fez um frango assado...

— Não, na verdade... tenho que voltar. Preciso dar um telefonema. Prometi a Peter Chastal entrar em contato com Lewis Falcon, e nada fiz a respeito...

— Oh, está bem — disse Phoebe, que sempre aceitava instantaneamente as decisões dos outros e nunca tentava argumentar. — Então é melhor você ir com Prue, ela pode deixá-lo de volta em Porthkerris depois de levar Charlotte.

Ele olhou para mim. — Você se importa?

— Claro que não.

Mas me importava, sim, pois queria que ele ficasse para jantar comigo e com Phoebe.

— Até logo, Phoebe. — Foi dar-lhe um beijo, e ela lhe deu uma palmadinha afetuosa no braço, deixando-o ir, não fazendo perguntas.

É assim que tenho de ser, disse a mim mesma, ao buscar meu casaco. *Se não desejo perder a amizade dele, é assim que tenho de ser.*

No carro, ele se sentou na frente. Charlotte se empoleirou no banco traseiro, inclinando-se para diante, de modo que a pálida mancha de seu rosto pairasse entre nós.

— Aonde vamos amanhã? — quis saber.

— Não sei. Não pensei ainda. Onde é um bom lugar?

— Podíamos ir ao Morro Skadden. Pode ser que a gente encontre amoras. Há muitas rochas no alto do morro, e uma delas tem uma pegada de gigante nela. Tem sim. Uma pegada de verdade, enorme.

— Você iria gostar de conhecer Penjizal — disse Daniel.

— O que é que se pode ver e fazer lá? — perguntei.

— Um passeio pelo penhasco. Na maré baixa se forma na rocha uma piscina grande e profunda, onde as focas entram e ficam nadando.

Charlotte na mesma hora se esqueceu do Morro Skadden. Pegadas de gigante eram sem graça, comparadas a focas.

— Ah, vamos lá. Eu nunca vi focas, pelo menos não de perto.

— Eu nem mesmo sei onde fica Penjizal — comentei.

— Você mostra para nós, Daniel? — Charlotte deu uma pancada em seu ombro para obter toda a sua atenção. — Você vem com a gente? Ah, venha conosco!

Daniel não respondeu de imediato ao apelo apaixonado. Eu sabia que ele estava esperando que eu interviesse, talvez dando alguma desculpa por ele, mas permaneci egoisticamente em silêncio. Pelo leque formado pelo limpador de pára-brisa eu via a estrada à frente, coberta de água barrenta; os carvalhos, escuros contra o céu, açoitados pela chuva.

— Por favor — persistia Charlotte.

— Pode ser — disse ele.

Mas ela se mantinha firme. — Isso quer dizer sim ou não?

— Bem, está certo... — Ele virou a cabeça para lhe dar um sorriso forçado. — Sim.

— Oh, *que bom.* — Chegou até a bater palmas. — O que é que eu vou trazer, Prue? Devo trazer minhas galochas?

— Talvez seja melhor. E também uma capa de chuva decente, caso esteja chovendo.

— Mas nós vamos fazer um piquenique, não vamos? Mesmo que chova?

— Sim, vamos fazer um piquenique. A gente encontra um lugar qualquer para comer. De que é que você gosta? Sanduíches de presunto?

— Sim. E Coca.

— Acho que não temos nenhuma Coca.

— Eu acho que a vovó tem algumas. E se não tiver eu compro. Eles vendem na loja da aldeia.

Tínhamos alcançado os portões do White Lodge. Entrei e subi o caminho, e, como antes, a casa esperava por nós, encoberta pela chuva, fechada e inexpressiva, sem revelar coisa alguma. Estacionamos ao pé da escada, e Daniel saltou para que Charlotte pudesse sair do banco de trás. Ficou parado olhando para ela. Charlotte segurava ainda o desenho que tinha feito. Phoebe pegara-o do console da lareira e o dera para Charlotte quando estávamos quase saindo.

— Não se esqueça disso — dissera, e acrescentara esperançosamente: — Talvez você o queira dar à sua avó.

Mas agora Charlotte o oferecia a Daniel. — Quer ficar com ele? — perguntou timidamente.

— Gostaria muito. Mas não é para a sua avó?

— Na verdade, não. Ela não ia querer.

— Nesse caso, fico com ele. — E pegou-o. — Obrigado. Vou guardá-lo com carinho.

— Então vejo vocês amanhã. Até logo. Até logo, Prue, e obrigada por me trazer em casa.

Ficamos vendo-a subir a escada até a porta da frente. No momento em que Daniel voltou para dentro do carro ao meu lado, a porta se abriu. Um cone de luz amarela invadiu a escuridão e vimos a Sra. Tolliver lá, de pé. Acenou — talvez em agradecimento, talvez como despedida — e então levou Charlotte para dentro.

5

Partimos para Porthkerris. Era apenas uma pequena viagem, mas naquela tarde ela foi percorrida por mim e Daniel, em absoluto silêncio. Algumas vezes o silêncio entre duas pessoas é confortável; outras, falam mais alto que as palavras. Em algumas ocasiões torna-se forçado e tenso, e esta era uma dessas oportunidades. Eu queria quebrar o constrangimento, dar início a alguma conversa corriqueira, mas diante de tanta falta de cooperação não conseguia imaginar o que dizer para o desconhecido alto e calado que se sentava ao meu lado. Sua mão, ainda segurando o presente de Charlotte, descansava em seu joelho. Sua cabeça estava voltada para o outro lado. Ele olhava para os campos verde-escuros encharcados, os muros de pedra, a chuva. Parecia nada haver para se dizer.

Finalmente chegamos aos portões do hotel, pegamos a entrada de automóveis e estacionamos junto a todos aqueles carros caros. Naquela tarde escura, até mesmo o opulento Hotel Castle tinha um aspecto triste, parecendo um navio a naufragar, suas poucas janelas iluminadas refletidas em um mar de poças.

Desliguei o motor e esperei que Daniel saísse do carro. Agora só se ouviam o som da chuva martelando o teto e o sussurro do vento que vinha do mar bem abaixo de nós. Apurando a atenção, ouvi as ondas distantes a quebrarem na praia. Daniel virou a cabeça e olhou para mim. — Você vai entrar?

Não consegui imaginar por que se dera ao trabalho de perguntar.

— Não. Você tem que entrar em contato com Lewis Falcon. E eu preciso voltar...

— Por favor. Quero falar com você — ele insistiu.

— Sobre o quê?

— Podemos tomar um drinque.

— Daniel...

— Por favor, Prue.

Apaguei os faróis e saímos do carro. Uma vez mais, as portas giratórias nos introduziram naquele interior cálido, perfumado, atapetado, superaquecido. Talvez por causa do tempo inclemente, hoje havia mais pessoas ao redor. Sentavam-se em grupos em torno das mesas de chá, liam jornais, conversavam por cima do tricô. O ar estava espesso do tédio do fim de tarde. Daniel se dirigiu para o bar, mas era muito cedo e ainda não estava aberto.

Parou diante da porta vedada por persianas e disse — "Droga" — tão alto que um ou dois pares de olhos se ergueram para nos observar. Fiquei embaraçada. Sabia como estávamos desalinhados e inadequadamente vestidos; Daniel com seu *jeans* surrado e suéter de lã áspera e escura; eu própria com um casaco azul-marinho velho que já tinha conhecido dias melhores, e com os cabelos despenteados pelo vento.

Queria ir embora.

— Eu não quero um drinque, mesmo.

— Mas eu quero. Venha, vamos subir para o meu quarto.

E, sem esperar minha resposta, começou a galgar a

ampla escadaria, subindo os degraus de três em três, com suas pernas compridas. Como não parecia existir nada mais a fazer, segui-o, cônscia do interesse que nosso comportamento despertava. Sabia que estaríamos sendo alvo das piores suspeitas, mas eu estava tão preocupada com a conduta de Daniel, tão apreensiva com relação a mim mesma, que não dei a menor importância.

Seu quarto ficava no primeiro andar, no final de um corredor comprido e amplo. Tirou a chave do bolso e entrou, acendendo as luzes. Segui-o e constatei que lhe tinham reservado um dos melhores apartamentos do hotel, de frente para o pequeno campo de golfe. Os gramados desse campo desciam até uma pequena floresta, e estávamos numa parte tão elevada da colina que podíamos ver o horizonte do mar abaixo dos galhos mais altos das árvores. Nesta tarde não se podia ver o horizonte, mas a janela do apartamento de Daniel estava aberta, e o vento entrava aos borbotões, fazendo as cortinas compridas adejarem como velas mal-amarradas.

Ele fechou a porta e foi fechar a janela. As cortinas cessaram sua dança frenética. Examinei o aposento espaçoso e confortavelmente mobiliado, com detalhes inesperados que o faziam parecer-se mais com o dormitório de uma casa de campo bem-cuidada do que com um hotel impessoal. Havia uma lareira, e sobre ela um bonito espelho, emoldurado de vidro cor-de-rosa. Diante da lareira havia cadeiras de braços forradas de *chintz*, e o mesmo *chintz* cobria a penteadeira. O aparelho de televisão ficava sobre uma mesa baixa, tendo ao seu lado uma pequena geladeira. Havia até mesmo flores sobre o console da lareira e uma cesta redonda de frutas frescas sobre a ampla cama de casal.

Depois de fechar a janela, Daniel foi ligar a lareira elétrica. As achas artificiais bruxulearam instantaneamente. Ele ainda segurava o desenho de Charlotte. Então colocou-o cuidadosamente no centro do console da lareira. O espelho refletia seu rosto sereno.

Observei-o e esperei.

— É minha filha — declarou.

Atrás da imagem dele, eu podia ver a minha própria, meu rosto uma mancha clara indistinta, as mãos enfiadas até o fundo nos bolsos do casaco; a imagem toda estava distorcida por alguma falha do vidro, fazendo-me parecer fantasmagórica, como alguém que tivesse morrido afogada.

Subitamente tornou-se muito difícil falar. Murmurei — Charlotte — e a palavra saiu como um suspiro.

— Sim, Charlotte. — Virou-se de costas para o console e nossos olhos se encontraram. — Ela é minha filha.

— Mas por que você diz isso?

— Ela é minha filha — repetiu.

— Oh, Daniel.

— Sabe, muitos anos atrás tive um caso com a mãe dela. Eu não amava Annabelle, ela era casada com outro homem, já tinha um filho. Tudo estava contra nós. Mas mesmo assim, contrariando todo o bom senso, aconteceu. E Charlotte é o fruto de um verão longo e quente daquilo que deve ter sido uma loucura total.

— Eu sei de tudo. Quero dizer, sei de tudo a respeito de você e Annabelle Tolliver.

— Phoebe lhe contou.

— Sim.

— Achei que ela lhe contaria. Na verdade, estava certo de que ela o faria.

Olhamos um para o outro. Minha mente, como um

coelho assustado, precipitava-se para cá e para lá, não indo a lugar algum. Tentei lembrar-me das palavras que Phoebe usara. *Acho que Annabelle é que paquerava o Daniel. Daniel sempre foi uma pessoa muito fechada. De qualquer forma, foi um fato totalmente irrelevante.*

— Mas pensei... quer dizer... eu não me dei conta... — eu gaguejava.

Ele veio em meu socorro, diante de minha atrapalhação.

— Você pensou que nós só tínhamos dado umas voltinhas. Eu sempre desejei que fosse isso o que Phoebe e Chips pensassem também. Mas, sabe, a coisa não foi tão inocente assim.

— Você... você tem certeza de que ela é sua filha?

— Soube no momento em que a vi esta tarde, sentada no banquinho, à beira do quebra-mar. No frio e na chuva, tentando terminar seu quadro. Prue, você ficou branca como uma mortalha. Acho melhor nós dois tomarmos um drinque.

Observei-o atentamente dirigindo-se à geladeira. Tirou copos, gelo, água gasosa e uma garrafa de uísque, e depositou-os sobre o refrigerador.

— Daniel, eu não bebo uísque.

— Não tenho mais nada. — Desatarraxou a tampa da garrafa.

— Ela nem se parece com você — ponderei.

— Também não se parece com Annabelle. Mas tenho uma fotografia de minha mãe, mais ou menos com essa idade. Nove ou dez anos. Charlotte é minha mãe, sem tirar nem pôr.

— Você sabia que Annabelle ia ter um bebê seu?

— Ela me disse que ia ter.

— E não foi o bastante?

— Do jeito que as coisas foram, não.

— Não entendo.

Fechou a porta da geladeira e nela permaneceu apoiado, um copo em cada mão.

— Prue, tire seu casaco. Ele dá a impressão de que você está de saída. Além disso, deve estar úmido. Você não pode pegar um resfriado.

Achei a observação completamente irrelevante, mas atendi seu pedido, desabotoei o casaco, tirei-o e coloquei-o no encosto de uma cadeira. Ele esticou a mão, oferecendo-me meu drinque, e adiantei-me para pegá-lo. O copo estava gelado.

— Não entendo, Daniel — eu disse mais uma vez.

— Você só conseguirá entender se compreender como Annabelle é. — Franziu as sobrancelhas. — Você nunca a conheceu? Nas vezes em que esteve na casa de Phoebe?

— Não, nossos caminhos nunca se cruzaram. Porque, eu acho, ela costumava vir para cá no verão, enquanto eu, na mesma época, normalmente estava em Northumberland, com meu pai.

— É uma boa explicação.

— Você a amava? — Minha voz denotava indiferença, como se isso não tivesse a menor importância.

— Não, eu não a amava. Pensando bem, eu nem mesmo gostava muito dela. Mas havia algo... surpreendente a respeito de Annabelle que tornava qualquer outra emoção sem sentido. Eu tinha vinte anos e ela vinte e oito. Casada e mãe. Nada disso importava, nem uma coisa nem outra.

— Mas as pessoas não... comentavam? Certamente Phoebe e Chips...

— Eles sabiam, é claro, mas imaginavam que fosse apenas um flerte sem maiores conseqüências. E Annabelle era esperta. Flertava com vários ao mesmo tempo. Tinha sempre muitos outros homens.

— Deve ter sido muito bonita. — Era difícil impedir que minha voz saísse com aquele tom de melancolia, mas eu nunca havia sido descrita como "surpreendente" e sabia que nunca seria.

— Não, não era bonita. Mas era muito alta e esguia, e tinha o rosto de uma gata siamesa, com um narizinho elegante, o lábio superior pronunciado e um sorriso cheio de segredos. "Enigmática", talvez seja esta a palavra. Seus olhos eram surpreendentes. Enormes, oblíquos, de um cinza bem escuro.

— Como você a conheceu?

— Phoebe e Chips me carregaram para uma festa. Eu não queria, mas eles disseram que eu tinha de ir, que havia sido convidado e que eu ficaria chato se não fizesse mais nada além de trabalhar. E Annabelle estava lá. Vi-a no momento em que entrei na sala. Estava do outro lado, rodeada de maridos de outras mulheres. Vi aquele rosto, e meus dedos ficaram em cócegas para desenhá-la. Creio que a fiquei olhando fixamente, pois de repente olhou diretamente para mim, como se soubesse o tempo todo que eu estava ali. E eu parei de pensar em desenhá-la. — Sorriu com pesar e balançou a cabeça. — Foi como estar jogando uma partida de futebol americano e de repente levar um forte chute na barriga.

— Isso nunca aconteceu comigo.

Eu esperava que minha tímida tentativa de amenizar o assunto o fizesse sorrir, mas nem pareceu ouvi-la, uma vez que andava de um lado para o outro com o copo na mão, como se lhe fosse fisicamente impossível falar e ficar parado ao mesmo tempo.

— A ocasião seguinte em que a encontrei foi na praia.

Eu havia arranjado uma prancha de surfe da Austrália, uma Malibu. Um amigo a trouxera para mim de Sydney. Naquele dia soprava um vento norte, e os vagalhões nasciam a quilômetros da praia. Surfei até a maré mudar, e quando saí da água, azul de frio, já que não podia bancar uma roupa de mergulho, vi Annabelle, sentada nas dunas, me olhando. Eu não fazia a menor idéia de quanto tempo ela tinha estado ali. Usava uma saia vermelha, e seu cabelo estava solto, negro, esvoaçando ao vento. Não havia mais ninguém na praia naquele dia cinzento, e eu sabia que ela estava me esperando. Assim, subi até onde estava sentada, conversamos e fumamos seus cigarros, enquanto os juncos à nossa volta se dobravam com a ventania. Lembro-me de ter pensado que pareciam felpas alisadas. Mais tarde voltamos andando para casa, e o campo de golfe cheirava a tomilho silvestre. Alguns homens, golfistas, passaram por nós, vi-os olhando para Annabelle e depois para mim com a inveja estampada em suas faces. Isso me fez sentir bem. E foi sempre assim: indo com ela a um *pub* ou sentado ao seu lado no carro, com a capota arriada e o sol batendo em nossos rostos. Quando parávamos nos sinais de trânsito, as pessoas nas calçadas viravam-se para nós, olhavam e sorriam.

— Provavelmente pensando como vocês formavam um belo casal.

— Mais provavelmente perguntando-se o que é que uma criatura sensacional como Annabelle estava fazendo com um garoto inexperiente e desengonçado.

— Por quanto tempo isso continuou?

— Dois meses. Três. Era um verão muito quente. Ela dizia que estava quente demais para levar seu filhinho de volta para Londres. Por isso ficava em Penmarron. Estava sempre lá.

— Ela falava do marido?

— Leslie Collis? Não muito. Corria o boato de que se tinha casado por causa do dinheiro dele, e com certeza ela não evidenciava muito afeto ao falar dele. Isso não me preocupava. Eu não queria saber dele. Não queria pensar nele. Não queria me sentir culpado. Se você está realmente determinado a fazê-lo, não é difícil escamotear de si mesmo uma consciência pesada. Eu nunca havia percebido que tinha essa capacidade. Ela tornou as coisas bem mais fáceis.

— Talvez seja assim que se espere que uma pessoa de vinte anos leve a vida.

Ele sorriu. — Você dá a impressão de ser madura e experiente. Como Phoebe.

— Gostaria de ser.

Daniel ainda andava de um lado para o outro do quarto encantador, um verdadeiro tigre enjaulado. Prosseguiu: — Era mais ou menos essa época do ano, meados de setembro. Só não chovia como agora. Havia sol e calor, o tempo todo. Por isso fui pego de surpresa quando Annabelle anunciou de repente que estava voltando para Londres. Estávamos novamente na praia. Tínhamos nadado. Era fim de tarde, a maré estava cheia. A maré havia coberto a areia quente, e o mar tinha a cor de jade, muito quente. Estávamos sentados, fumando nossos cigarros, quando ela me disse que ia voltar para Londres, e fiquei esperando surgir em mim uma desolação profunda, mas logo percebi que não estava triste. Estranhamente, sentia-me aliviado. Queria que nosso relacionamento terminasse naquele momento, enquanto ainda nos divertíamos. Eu não desejava que tudo se estragasse. Além disso, sabia que tinha que voltar a trabalhar. A pintura sempre fora a coisa mais importante de minha vida, e já estava me conclamando. Queria dar as costas a tudo o mais e concentrar-me na pintura, mergulhar inteiramente nela. Meu ano com Chips já estava quase terminado. Tinha vontade de viajar, de aprender. Planejava ir à América.

"Comecei a dizer alguma trivialidade, mas Annabelle me interrompeu. Foi então que me contou que ia ter um bebê. Ela disse: 'É seu filho, Daniel.'

"Sabe, quando jovem, ao crescer, eu costumava ficar apavorado só de imaginar uma situação dessas. Uma garota, engravidada por mim. Uma garota com quem eu não queria me casar. Ações judiciais exigindo o reconhecimento da paternidade, pais furiosos, casamentos sob a mira de um revólver. Um pesadelo. E então aconteceu, só que não daquela maneira. Ela continuou a falar, e pouco a pouco a noção de que ela nada queria de mim foi entrando em meu cérebro paralisado. Não queria que eu esperasse que se divorciasse; não queria que fugíssemos; não queria que me casasse com ela. Não queria dinheiro.

"Eu sentia que tinha de haver uma jogada em algum lugar. Finalmente, quando parou de falar, perguntei: 'E seu marido?' Annabelle riu e disse que ele não faria qualquer pergunta. Disse-lhe que não acreditava nisso; nenhum homem aceitaria o filho de outro homem. Mas Annabelle disse que Leslie Collis aceitaria, para salvar as aparências e preservar seu orgulho; a coisa que mais odiava no mundo era ser feito de bobo. Importava-se muito com o que os colegas pensavam dele, com o que as pessoas diziam a seu respeito. Tinha construído para si mesmo aquela imagem de esperto e não deixaria que nada a destruísse. E então olhou para a cara que eu fazia, riu de novo e disse: 'Não se preocupe, Daniel, nós não vamos correr atrás de você com um revólver.'

"Ponderei: 'Mas é meu filho.' Ela atirou longe o cigarro, afastou o cabelo do rosto e disse: 'Oh, não se preocupe com o bebê. Ele vai ter um bom lar', e falou de um jeito que parecia estar se referindo a um cachorro."

Ele estava quieto, agora, não mais andando sem parar. Ficou no meio do quarto, olhando para o copo. Ainda havia um pouco de uísque no fundo; com um rápido movimento de mão e de cabeça, despejou o resto garganta abaixo. Gostaria imensamente de que ele não se servisse de outra dose. Com o estado de espírito em que se encontrava, dava-me a impressão de ser um desses homens que se apressam em afogar suas mágoas na bebida. No entanto, ele foi até a geladeira, deixou o copo em cima dela e então, notando que já estava escuro, foi até a janela e cerrou as pesadas cortinas, ocultando a desoladora noite lá de fora.

Virou-se para me olhar de frente. — Você não está dizendo nada.

— Não consigo pensar em nada inteligente para dizer.

— Você está chocada.

— Essa palavra nada tem a ver. Não há por que ficar chocada. Não estou em posição de assumir qualquer tipo de atitude. Mas, para seu governo, sinto muito que isso tenha acontecido.

— Ainda não lhe contei tudo. Quer ouvir o resto?

— Se você quiser que eu ouça.

— Acho que quero. Eu... eu não falo assim há anos. Não sei se conseguiria parar agora, mesmo que o quisesse.

— Você nunca contou isso a ninguém antes?

— Sim. Para o Chips. No começo achei que não ia contar. Não conseguiria. Em primeiro lugar, porque estava muito envergonhado. Leslie Collis não era o único que detestava parecer bobo. Mas nunca fui muito bom em esconder meus sentimentos, e depois de alguns dias de idiotice, caminhando tropegamente pelo estúdio de Chips e derrubando as coisas, ele perdeu a paciência comigo, soltou o verbo, e perguntou que diabo estava acontecendo comigo, afinal de contas. Então contei a ele. Contei tudo, e ele não me interrompeu nem uma vez; não disse uma só palavra. Ficou o tempo todo sentado em sua velha cadeira arqueada, fumando cachimbo e escutando. E quando acabei, quando tirei tudo de dentro do peito, o alívio foi tão grande que eu não conseguia imaginar por que não lhe tinha contado logo de início.

— O que foi que ele disse?

— Por um instante, nada. Apenas continuou a fumar, olhando para o espaço. Matutando. Não sei o que estava pensando. Eu estava mais ou menos preparado para ser convidado a fazer minhas malas e nunca mais pisar no Holly Cottage.

"No entanto, finalmente ele bateu a cinza de seu cachimbo, guardou-o no bolso e disse: 'Meu rapaz, estão fazendo pouco caso de você.' Então me falou a respeito de Annabelle. Disse que ela sempre fora amoral, abertamente promíscua. Aquele verão não tinha sido exceção. Quanto ao bebê, havia um outro homem, um fazendeiro da região de Falmouth, casado e com sua própria família. Na opinião de Chips, havia toda a probabilidade de que ele fosse o pai do bebê de Annabelle. E ela devia saber disso.

"Quando ele me veio com essa, fiquei mais perplexo que nunca. Metade de mim estava aliviada. Mas, na mesma medida, me sentia ludibriado. Meu orgulho estava muito ferido. Eu sabia que estava enganando Leslie Collis, mas saber que Annabelle estava me traindo maltratou muito minha recém-descoberta masculinidade. Desprezível, não acha?"

— Não. É compreensível. Mas se fosse verdade, por que foi que ela lhe disse que o bebê era *seu*?

— Fiz ao Chips essa mesma pergunta. E ele me respondeu que esse sempre fora o jeito de Annabelle. Não tinha graça nenhuma armar uma confusão se não pudesse deixar atrás de si um rastro de culpas e remorsos. Inacreditável, não?

— A mim, me parece incrível. Mas se Chips disse isso, então deve ser verdade.

— Eu sabia disso, também. Ele foi ver Annabelle naquela mesma noite. Foi pedir explicações a ela. Caminhou até o White Lodge e pegou-a de jeito. No início ela tentou continuar a farsa, insistindo que a criança só poderia ser minha, e de ninguém mais. Mas então ele a confrontou com o que me havia contado. A respeito do outro homem. E quando se saiu com o nome dele, Annabelle perdeu o controle e admitiu que estava certo. Não era necessariamente meu filho. Ela apenas preferia imaginar que poderia sê-lo. Nunca a vi novamente. Ela voltou para Londres alguns dias depois, levando consigo o menino e a babá. E Chips e eu concordamos que já era a minha hora de partir, também. Eu já estava marcando passo por tempo demais.

— Phoebe sabe disso tudo?

— Não. Eu não queria, e Chips concordou que seria melhor que ela não soubesse. Com sorte, não haveria qualquer repercussão e não fazia sentido aborrecê-la ou criar qualquer tipo de problema com a Sra. Tolliver. Penmarron é uma vila pequena. Eles tinham que continuar morando lá, fazendo parte de uma comunidade bastante fechada.

— Como o Chips era sensato!

— Sensato. Compreensivo. Não consigo nem começar a descrever para você a bondade que teve para comigo naqueles dias. Como o melhor dos pais. Arrumou tudo para mim, até me emprestou algum dinheiro para me sustentar até que eu acertasse o passo. Deu-me cartas de apresentação para amigos seus em Nova Iorque; mas, o mais importante, me encaminhou com uma carta de apresentação para Peter Chastal em Londres. Naquela época a galeria funcionava havia poucos anos, porém Chastal já conquistara um certo nome no mundo da arte. Levei uma pasta enorme cheia de trabalhos meus para ele dar uma olhada, e na época em que parti para os Estados Unidos, concordou em fazer uma exposição para mim e ser meu agente. E isso é o que tem feito desde então.

Veio-me à mente a crítica entusiasmada que havia lido no trem. — Ele tem feito um bom trabalho para você.

— Sim. Tive muita sorte.

— Chips costumava dizer que de nada adianta ter talento se você não se dedica a ele.

— Ele costumava dizer muitas coisas sensatas.

— Foi o trabalho que o manteve afastado por onze anos?

— Prefiro acreditar que sim. Não me agrada a idéia de que estivesse tentando escapar do que havia acontecido. Mas talvez estivesse. Fugindo. Cada vez mais para longe. Primeiro, Nova Iorque; depois o Arizona e então São Francisco. Foi lá que me surgiu o interesse pela arte japonesa. Existe uma grande comunidade japonesa em São Francisco e vi-me envolvido com um grupo de pintores jovens. Quanto mais trabalhava com eles, mais compreendia o quão pouco sabia. As tradições e a disciplina da pintura japonesa remontam há séculos. Fiquei fascinado. Então fui ao Japão, e lá voltei a ser estudante, sentado aos pés de um homem muito idoso e famoso. O tempo deixou de fazer qualquer sentido. Fiquei lá quatro anos. Algumas vezes pareciam ser apenas alguns dias. Mas outras, uma eternidade.

"Essa exposição na Galeria de Peter Chastal é uma conseqüência direta desses anos. Eu disse a você que não queria estar presente. Inaugurações me apavoram de verdade. Mas, da mesma forma, tinha medo de voltar para a Inglaterra. Do outro lado do mundo era possível não pensar em Annabelle e no filho que poderia ser meu. Mas voltando... eu tinha pesadelos em que me encontrava em Londres, vendo Annabelle e meu filho andando na calçada em minha direção."

— Vir à Cornualha não foi um pouco arriscado?

— Parece que tudo estava predestinado. Conhecer um estranho em um bar, ser convidado para uma carona. Por muito pouco não vim, mas queria muito ver Phoebe outra vez.

Voltei meu pensamento para o dia anterior. Lembreime de como ele ficara sentado quieto no bar do primeiro andar enquanto eu tagarelava sobre a Sra. Tolliver e Charlotte.

— Daniel, quando lhe contei que Charlotte estava aqui, em Penmarron, passando uns dias com a avó, você deve ter-se dado conta de que ela era o bebê.

— É, eu percebi. E compreendi, também, com toda a certeza, que inevitavelmente iria encontrá-la. Tudo fez parte de um esquema fantástico, totalmente fora de meu controle. Quando chegamos à casa de Phoebe esta tarde, saltamos do carro e entramos, eu sabia que Charlotte estava por perto, em algum lugar. Soube, antes mesmo de Lily nos contar. E ao sair da casa, descer o morro e andar pelo quebra-mar a fim de buscá-las para o chá, fiquei o tempo todo dizendo a mim mesmo que, depois de tantos anos de incerteza, finalmente eu iria saber.

"Elas não perceberam que eu estava chegando. Ambas estavam absortas demais em seus trabalhos. E então Phoebe me avistou e disse meu nome. Charlotte levantou os olhos, também. E lá estava aquela carinha. Compreendi naquele instante que, sem o saber, Annabelle me dissera a verdade."

Assim, acabou-se. Eu parecia ter estado de pé a vida inteira, ouvindo a voz de Daniel. Minhas costas doíam, e sentia-me enfraquecida e exausta. Não fazia a menor idéia de que horas eram. Do térreo, do tumultuado coração do hotel, emanavam sons e odores. Vozes, o bater distante de pratos, a melodia fraca de uma orquestra tocando alguma coisa despretensiosa derivada de *The Sound of Music*. Em algum momento eu teria que voltar para o Holly Cottage, para Phoebe e para o frango assado. Mas não ainda.

— Se não me sentar vou morrer — declarei. Fui até a lareira e desabei em uma das poltronas forradas de *schintz*. Por todo o tempo em que faláramos, as pequenas chamas falsas lambiam alegremente as achas de mentira. Agora eu estava recostada, com o queixo enterrado na gola do suéter, observando-as dançar buliçosamente, sem chegar a lugar algum.

Ouvi Daniel servir-se de outro drinque. Trouxe-o e sentou-se de frente para mim na outra cadeira. Olhei para ele e nossos olhos se encontraram. Estávamos ambos muito solenes.

Sorri. — Com que então, você me contou. E não sei por que contou para mim.

— Tinha que contar para alguém. E, por alguma razão, você parece fazer parte disso tudo.

— Não, eu não faço parte de nada disso. — Era a única

coisa de que tinha certeza. Quanto ao mais, a situação em que Daniel ora se encontrava parecia não ter solução. Pensei um pouco nisso e então prossegui. — ... E nem acho que você faça parte disso. Acabou-se, Daniel. Está terminado. Esquecido. Águas passadas. Você achava que Charlotte poderia ser sua filha; agora sabe que é. Só isso mudou. Charlotte ainda é Charlotte Collis, filha de Leslie Collis, neta da Sra. Tolliver e amiga de Phoebe. Aceite isso e esqueça todo o resto. Pois realmente não há alternativa. O fato de ter descoberto a verdade é irrelevante. Não muda nada. Charlotte nunca foi responsabilidade sua e continua não sendo. Você tem que pensar nela como uma menina que conheceu no quebra-mar, que por acaso compartilha do seu talento para o desenho e cujo rosto lembra o de sua mãe.

Ele não me respondeu de imediato. Por fim, lamentou-se: — Se fosse só com isso que eu tivesse que me conformar, não seria tão ruim.

— O que é que você quer dizer, exatamente?

— Rigorosamente aquilo que você observou no trem e que Lily Tonkins, que não é nenhuma boba, identificou em um instante. Charlotte não só tem que usar óculos, como também rói unhas, é solitária, infeliz e aparentemente abandonada.

Desviei o olhar, voltando-me para a lareira em busca de alguma distração. Se fosse uma lareira de verdade, eu poderia ter preenchido esse momento difícil entregando-me a alguma pequena tarefa com um atiçador ou uma nova acha de lenha. Nas condições existentes, fiquei atrapalhada. Eu sabia, assim como também o sabiam Phoebe e Lily Tonkins, que tudo o que Daniel havia acabado de dizer era, com grande probabilidade, verdadeiro. Mas concordar com ele agora em nada ajudaria Charlotte e apenas serviria para fazer com que Daniel tivesse ainda mais dificuldade em aceitar a situação.

Suspirei, buscando as palavras. — Você não deve levar ao pé da letra tudo o que Lily diz. Ela sempre teve uma tendência para dramatizar as coisas. E você sabe, meninas da idade da Charlotte nem sempre são tão fáceis de se entender. Elas ficam caladas e isoladas. Além disso, acho que ela é uma criança bastante tímida...

Levantei os olhos e encontrei novamente os seus. Sorri, fazendo uma cara alegre e objetiva. — E sejamos sinceros, a Sra. Tolliver jamais ganharia um concurso de a avó mais acolhedora do mundo. É por isso que Charlotte gosta tanto de Phoebe. De qualquer forma, não acho que esteja passando por um mau bocado no White Lodge. Sei que lá não há outras crianças com quem brincar, mas é porque todas as outras crianças da aldeia estão na escola. E, apesar do que disse Lily, aposto que Betty Curnow é bondosa e passa um bom tempo com ela. Você não deve deixar as coisas exagerarem em sua mente. Além disso, amanhã vamos levá-la a um piquenique. Você não se esqueceu disso, não é? Disse que nos levaria a Penjizal e nos mostraria as focas... não pode voltar atrás agora.

— Não, não vou voltar atrás.

— Entendo por que estava relutante em vir conosco. Não deve ser muito fácil para você.

Ele balançou a cabeça: — Não acho que um único dia vá fazer muita diferença, de uma forma ou de outra, levando-se em consideração o contexto de duas vidas inteiramente separadas.

Tentei compreender. — Não sei o que isso quer dizer, mas tenho certeza de que você está certo.

Ele riu. No térreo a orquestra tinha passado de *The Sound of Music* para *The Pirates of Penzance*. Eu sentia o cheiro de alguma comida deliciosa.

— Volte comigo — propus. — Para o Holly Cottage. Phoebe gostaria tanto. Vamos comer o frango de Lily, como havíamos planejado. Ela preparou o bastante para alimentar um exército.

Mas ele disse que não iria. Olhei para o copo de uísque vazio no chão, entre os seus pés.

— Promete que não vai ficar sentado aqui a noite inteira e beber até entrar em coma?

— Como você me conhece pouco. Como nos conhecemos pouco. Eu não bebo desse jeito. Nunca bebi.

— Mas você vai comer alguma coisa? Vai jantar?

— Sim, vou descer mais tarde.

— Bem, se você não vem, devo ir sozinha. Phoebe vai pensar que a esqueci, que bati com o carro ou alguma outra coisa horrorosa.

Levantei-me da cadeira, e Daniel fez o mesmo. Ficamos de pé, como pessoas em uma festa formal na hora da despedida.

— Boa-noite, Daniel.

Pôs as mãos em meus ombros e inclinou-se para beijar-me o rosto. Feito isto, fiquei por um longo instante olhando para seu rosto. Enlacei os braços em torno de seu pescoço, puxei sua cabeça de encontro à minha e beijei sua boca. Senti seus braços me envolvendo, senti-me tão estreitada que pude perceber as batidas de seu coração através da lã áspera e grossa de seu suéter.

— Oh, Prue.

Encostei a face em seu ombro. Senti seus lábios acariciarem o alto de minha cabeça. Foi um abraço muito suave, sem paixão, sem qualquer conseqüência aparente. Então por que me senti assim de repente, ardendo de um desejo que nunca conhecera antes, as pernas fracas, os olhos queimando de ridículas lágrimas não derramadas? Seria possível o amor por uma pessoa acontecer assim tão de repente? Como um foguete, disparado contra um céu escuro, explodindo no infinito e deixando atrás de si uma esteira de estrelas cintilantes multicoloridas.

Ficamos em silêncio, abraçados, como crianças buscando aconchego. A falta de palavras não parecia incomodar. Então Daniel sussurrou: — Aquela casa na Grécia. Não quero que pense que não estava falando sério quando a convidei para ir me visitar lá.

— Está me convidando para ir com você agora?

— Não.

Afastei-me e encarei-o.

— Não posso continuar fugindo daquilo que se encontra no interior de minha própria mente — explicou. — Talvez algum dia, em algum momento. — Beijou-me de novo, apressadamente desta vez, tornando-se prático, olhando para seu relógio de pulso. — Você tem que ir. O frango vai queimar até desaparecer e Phoebe vai pensar que a violentei. — Pegou meu casaco da cadeira e o segurou para mim, enfiei os braços nas mangas, ele me virou de frente e fechou todos os botões, de alto a baixo.

— Vou descer com você. — Foi abrir a porta e caminhamos juntos, lado a lado, pelo longo corredor em direção à escada. Passamos por uma série de portas fechadas, por trás das quais pessoas que nunca conhecemos se amaram, passaram lua-de-mel e férias, riram, brigaram e resolveram suas diferenças com risos.

Ao chegarmos ao pé da escada, o saguão mostrava

agora sua faceta mais festiva. Os hóspedes saíam do bar, encaminhavam-se para o restaurante ou sentavam-se em torno daquelas mesmas mesinhas, com coquetéis e pratos de amendoins à sua frente. O zunzum das conversas, que havia aumentado a ponto de ser audível acima do som da orquestra, era considerável. Os homens usavam gravatas pretas tipo borboleta e *smokings* de veludo, e as damas vestiam longos ou cafetãs de lantejoulas.

Passamos em meio a tudo aquilo, causando uma leve agitação com nossa aparência inusitada, como se fôssemos fantasmas dentro de uma festa. As conversas se interrompiam à medida que passávamos; mais uma vez erguiam-se sobrancelhas. Chegamos à porta principal e fomos lançados no interior da noite e da escuridão. Finalmente parara de chover, mas ainda soprava um vento penetrante por entre os galhos mais altos das árvores.

Daniel olhou para o céu: — Como vai estar amanhã?

— Ótimo, talvez. O vento pode levar todo esse mau tempo para longe.

Chegamos ao carro. Abriu-me a porta. — Quando vou encontrá-la?

— Por volta das onze. Venho buscá-lo, se você quiser.

— Não. Pegarei uma carona até Penmarron, tomarei um ônibus ou qualquer outra condução. Mas estarei lá, portanto não vá sem mim.

— Precisamos de você, para nos mostrar o caminho.

Entrei no carro, atrás do volante.

— Desculpe-me por esta noite — ele disse.

— Gostei que me tenha contado.

— Também gostei. Obrigado por ouvir.

— Boa-noite, Daniel.

— Boa-noite.

6

Conversamos naquela noite, Phoebe e eu, até tarde. Entregamo-nos às recordações, relembrando os dias em que Chips era vivo. Voltamos ainda mais atrás, para Northumberland, para Windyedge, onde Phoebe passou a infância, crescendo sem instrução e sem educação, cavalgando seu pônei peludo pelas beiras daquelas praias frias do nordeste. Falamos sobre meu pai e o contentamento que encontrou com sua nova esposa, e ela recordou as expedições que faziam juntos quando crianças, até Dunstanbrugh e Bambrugh, e as caçadas de inverno, com os casacos cor-de-rosa dos caçadores, brilhando como cerejas no ar gélido, e os cães de caça correndo pelos campos rajados de neve.

Falamos sobre Paris, onde ela estudara, e da pequena casa em Dordogne, que ela e Chips compraram em um ano próspero e para a qual ela ainda retornava todos os anos, para viagens de pintura.

Conversamos sobre Marcus Bernstein, meu trabalho, meu pequeno apartamento em Islington.

— Da próxima vez que for a Londres, vou ficar com você — ela prometeu.

— Não tenho quarto de hóspedes.

— Então vou dormir no chão.

Contou-me a respeito da nova Sociedade de Artes que acabara de se formar em Porthkerris, e da qual era membro fundador. Descreveu-me a casa de um ceramista velho e famoso, que retornara para Porthkerris a fim de passar seus anos finais no emaranhado de ruas estreitas onde nascera, filho de um pescador, oitenta anos atrás.

Conversamos sobre Lewis Falcon.

Mas não falamos de Daniel. Como se tivéssemos feito algum acordo secreto, nem Phoebe nem eu mencionamos o seu nome.

Passada a meia-noite, ela finalmente foi para cama. Segui-a escada acima para fechar-lhe as cortinas, dobrar-lhe a colcha e ajudá-la a despir as roupas. Levei para baixo um saco de água quente, enchi-o com água fervente da chaleira e finalmente deixei-a, aquecida em sua cama enorme e macia, lendo seu livro.

Dissemos boa-noite, mas não fui para a cama. Minha mente fervilhava, tão alerta e incansável como se me tivesse enchido de uma droga extremamente estimulante. Não suportaria ficar deitada na escuridão, à espera de um sono que, sabia, não ia chegar. Então voltei para a cozinha, fiz uma caneca de café e levei-a para perto da lareira. As chamas haviam morrido, deixando uma camada de cinzas claras, por isso coloquei mais achas de lenha e fiquei vendo-as acenderem e formarem-se chamas, e depois me enrosquei na velha poltrona de Chips. Seu surrado aconchego era reconfortante, e me fez pensar nele, ansiar por sua presença. Não queria que estivesse morto; queria-o vivo, aqui, nesta sala comigo. Sempre fomos muito íntimos e agora eu precisava dele. Precisava de seus conselhos.

Como o melhor dos pais. Pensei em Chips, de cachimbo na boca, ouvindo o jovem Daniel lhe contar a respeito de Annabelle Tolliver e o bebê. Annabelle, com seus cabelos escuros, sua cara de gato, olhos acinzentados e seu sorriso enigmático.

É seu filho, Daniel.

Havia outras vozes. Lily Tonkins. *Se a Sra. Tolliver não se pode dar ao incômodo de cuidar da criança, então devia pagar alguém para fazer esse trabalho.* Lily chiava de indignação, descarregando seu ressentimento ao bater uma tigela de massa.

E minha mãe, exasperada porque eu não me adequava ao padrão que se esforçou a vida inteira para me dar.

Honestamente, Prue, não sei o que você anda procurando.

Eu lhe dissera que não estava procurando nada. Mas havia uma palavra — "serendipidade". Era uma palavra tão esquisita, de uma sonoridade tão estranha, que certa vez procurei no dicionário.

Serendipidade, *s.*: faculdade de fazer felizes descobertas por acaso.

E fizera uma descoberta. Daniel. Observei-o caminhar desde a pequena estação de trem, passando pelo antigo quebra-mar, vindo em minha direção, entrando em minha vida. E esta noite ele comentara: "Como nos conhecemos pouco", o que até certo ponto era verdade. Um dia. Dois. Muito pouco, dir-se-ia, para se ir além de um relacionamento muito superficial.

Mas isso era diferente. Para mim, o tempo e os acontecimentos se compactaram milagrosamente, a ponto de sentir-me como se tivesse vivido com ele uma vida inteira ao longo das últimas vinte e quatro horas. Era difícil dar-me conta de que não o conhecera sempre, de que nossas existências individuais não estavam ainda entrelaçadas como os filamentos que formam um fio de lã.

Eu queria que continuasse assim. Estava preparada para deixá-lo seguir seu caminho, como Phoebe o fizera. Era sensata o bastante para isso. Mas não queria perdê-lo. E sabia que as chances estavam contra mim. Em parte porque Daniel era o homem que era — um artista, irrequieto, em busca de alguma coisa, sempre tendo necessidade de ser livre. Mas infinitamente mais terrível era a lembrança de Annabelle, a existência de Charlotte.

Charlotte. Sabia-se lá que traumas sofrera, imposta a um homem que não era seu pai e que com toda certeza sabia disso. Tomei-me de uma antipatia instantânea por ele naqueles breves instantes em que o vira no trem, observando sua impaciência com a menina e percebendo uma total falta de afeto quando enfiou a nota de dez libras na mão dela, como se estivesse quitando uma dívida maçante.

E Annabelle. Responsável por tanta infelicidade. *Não tinha graça nenhuma armar uma confusão se não pudesse deixar atrás de si um rastro de culpas e remorsos.* Ela tinha feito isso, sim, com suas paixões instáveis, destrutivas como um furacão. Agora o furacão parecia ter surgido novamente, e eu tinha medo, pois podia ver que isso afastava Daniel de mim para sempre.

Não posso continuar fugindo daquilo que se encontra no interior de minha própria mente.

Pensei na casa da Grécia, a casa que parecia um cubo de açúcar sobre o mar, com o terraço caiado de branco e os gerânios claros. Um trecho de poesia, meio aprendida, meio esquecida, brotou como um fantasma do fundo de minha mente.

> Oh, amor, não mais iremos os dois às terras
> quentes de além-mar.

No console, em cima da lareira, o relógio de Phoebe soou uma nota única e argentina. Uma da manhã. Pousei a caneca de café vazia e, com esforço, arrebatei-me do conforto aconchegante da poltrona de Chips. Ainda sem sono, fui até o rádio de Phoebe e mexi nos botões, procurando alguma música da madrugada. Achei um programa gravado com clássicos da música popular e reconheci uma melodia que remontava à minha infância.

Deus te abençoe,
Você me fez sentir novo em folha
Pois Deus abençoou nossa união.

O carrossel de brinquedo ainda estava na mesa onde Charlotte brincara com ele. Ninguém o colocara de volta ao seu lugar no armário, e fui fazê-lo, com medo de a poeira infiltrar-se em seu mecanismo velho e emperrá-lo de vez. Não podia suportar a idéia de ele ser quebrado, esquecido, nunca mais usado.

Simplesmente não sei qual é o meu favorito...

Dei corda e soltei suavemente a trava. Lentamente, sossegadamente, os animais pintados de cores brilhantes giraram, com as rédeas de ouropel cintilando à luz do fogo, como se fossem decorações de uma árvore de Natal.

Sem você,
A vida não faz sentido, não combina
Como as notas de uma música fora de hora.

O dia de amanhã estava sempre em minha cabeça. Não podia ter certeza se sentia apreensão pelo dia que havíamos planejado ou se ansiava por ele. Parecia haver muita coisa em jogo. Só sabia que iríamos, nós três, para Penjizal ver as focas. Eu não conseguia imaginar além de amanhã, simplesmente tinha esperança de que iria acontecer alguma coisa boa por estarmos juntos. Para o bem de Daniel. Por Charlotte. E, sendo egoísta, por mim mesma.

A corda acabou; o prato foi parando lentamente. Abaixei-me, levantei o carrossel da mesa e guardei-o em seu armário; fechei as portas, girei a chave. Coloquei o guarda-fogo em frente à lareira, desliguei o rádio, apaguei a luz. Subi, na escuridão.

Acordei cedo, às sete, ao som de uma grande gaivota velha gritando para o novo dia, de cima do telhado do estúdio de Chips. Minhas cortinas corridas emolduravam um céu do mais pálido azul oculto por uma neblina que fazia lembrar os dias mais quentes de verão. Não havia vento, nenhum som além dos gritos da gaivota e do sussurro da maré que subia, enchendo as valas e as piscinas de areia do estuário. Quando me levantei e fui à janela, fazia muito frio, quase como se houvesse geado. Senti o cheiro de algas marinhas, de cordas untadas de alcatrão e da salinidade da água fresca do mar, emanando do oceano. Era um dia que pedia um piquenique.

Vesti-me, desci, fiz café para mim e preparei um café da manhã completo para Phoebe. Quando o levei para cima, já a encontrei acordada e recostada nos travesseiros; não estava lendo, apenas assistia com prazer o calor do sol daquela manhã de outono perfeita dissolver o que restava da neblina.

Coloquei a bandeja sobre seus joelhos.

— Esse é o tipo da manhã — comentou sem qualquer preâmbulo — que tenno a certeza de que a gente se lembra quando fica velho. Bom-dia, minha querida. — Beijamo-nos. — Que belo dia para um piquenique.

— Venha conosco Phoebe.

Ficou tentada. — Depende de aonde vocês vão.

— Daniel vai nos mostrar o caminho para Penjizal. Falou alguma coisa sobre uma piscina natural formada na rocha pela maré, onde as focas vão nadar.

— Ah, é tão lindo! Você vai ficar encantada. Mas não, acho melhor eu não ir. A trilha que desce o morro é um pouco íngreme para quem está com um braço só. Seria muito desagradável para você se eu perdesse o equilíbrio e despencasse do desfiladeiro caindo no mar. — Explodiu em suas gargalhadas habituais frente à simples idéia. — Mas a caminhada que desce da casa de fazenda que fica no alto é mágica. Existem brincos-de-princesa silvestres por toda parte e, no verão, o vale fica fervilhando de libélulas. O que vai levar para comer? Sanduíches de presunto? Será que temos presunto? Que pena que você não pode fazer sanduíches de carne assada fria. Não sobrou nada de ontem à noite. Será que Daniel entrou em contato com Lewis Falcon? Ouvi dizer que ele tem o jardim exótico mais bonito de Lanyon...

Continuou a tagarelar, levando a conversa, como sempre acontece com Phoebe, de um assunto interessante para outro. Era tentador esquecer tudo sobre o dia que vinha pela frente; perder totalmente a noção da hora e simplesmente acomodar-me para passar o resto da manhã sentada lá, na beira da cama macia de Phoebe. Porém, com o bule de café vazio e os raios de sol entrando pela janela aberta e formando faixas oblíquas brilhantes, ouvi lá de baixo a porta da cozinha bater e percebi que Lily Tonkins havia chegado em sua bicicleta.

Olhei para o relógio de Phoebe. — Meu Deus, já passa

das nove. Preciso tratar da vida. — Levantei-me relutantemente da cama e comecei a juntar xícaras e pratos, empilhando-os na bandeja de Phoebe.

— Eu também.

— Ah, não se levante. Fique aí por mais uma hora, ou pouco mais. Lily gosta de que você faça isso. Assim ela pode continuar a encerar a casa sem ter que ficar escorraçando você toda hora para lá e para cá.

— Veremos — disse Phoebe. Mas, assim que saí pela porta, vi-a pegando o livro. Estava lendo C. P. Snow, e fiquei com inveja de sua cama quente e daquela maravilhosa prosa sonora, e tive o palpite de que ela não daria as caras lá embaixo antes do meio-dia.

Na cozinha encontrei Lily amarrando o avental.

— Olá, Prue, como vai você esta manhã? Encantadora, não? Ernest disse ontem à noite que era isso o que ia acontecer. Disse que o vento iria soprar o mau tempo para longe. E, vindo da igreja pela estrada, a gente acha que está quente como em junho. Eu estava com vontade de não vir trabalhar hoje; só descer até a praia e ficar com os pés na água.

O telefone tocou no saguão.

— Ora — resmungou Lily, como sempre fazia quando isso acontecia — quem será?

— Deixe que eu vou atender — antecipei-me.

Voltei para o saguão, sentei-me na antiga cômoda entalhada onde ficava o telefone e peguei o aparelho:

— Alô.

— Phoebe? — Voz de mulher.

— Não. É Prue.

— Ah, Prue. Aqui é a Sra. Tolliver. Phoebe está aí?

— Lamento, mas ela ainda está deitada.

Esperava que se desculpasse por ter ligado tão cedo

e dissesse que ligaria mais tarde. Mas, em vez disso, insistiu: — Tenho que falar com ela. Ela não pode atender? — Havia uma urgência em sua voz, uma inquietude, que me encheu de uma apreensão inominada.

— Aconteceu algo de errado?

— Não. Sim. Prue, eu tenho que falar com ela.

— Vou chamá-la. — Pousei o fone e subi as escadas. Ao enfiar a cabeça pela porta de Phoebe, ela levantou placidamente os olhos do livro.

— É a Sra. Tolliver ao telefone. Quer falar com você. — Acrescentei: — Ela está muito esquisita. Preocupada.

Phoebe franziu as sobrancelhas.

— O que será? — largou o livro.

— Não sei. — Mas minha imaginação já havia disparado. — Talvez seja alguma coisa relacionada com Charlotte.

Sem maiores hesitações, Phoebe levantou as cobertas e saiu da cama. Ajudei-a a vestir o penhoar, enfiando-lhe o braço bom na manga e enrolando o resto de suas dobras volumosas em volta dela, como um manto. Encontrei seus chinelos. Seus cabelos densos ainda caíam em trança por cima de um ombro, e seus óculos de leitura haviam escorregado pelo nariz. Ela desceu na frente até o saguão, sentou-se onde eu me havia sentado e pegou o fone.

— Sim?

A ligação era obviamente importante e possivelmente particular. Percebendo isso, talvez, eu devesse ter ido para a cozinha, para não ouvir. Porém Phoebe me lançou um olhar implorando que ficasse por perto, como se esperasse precisar do meu apoio moral; então, sentei-me também, no meio da escada, olhando-a através do balaústre do corrimão.

— Phoebe? — A voz da Sra. Tolliver era claramente

audível de onde eu me empoleirava. — Sinto muito por tê-la tirado da cama, mas tenho que falar com você.

— Diga.

— Preciso vê-la.

Phoebe ficou um tanto perplexa.

— O quê? Agora mesmo?

— Sim, agora. Por favor. Eu... Eu acho que preciso de sua orientação.

— Espero que Charlotte esteja bem.

— Sim. Sim, está tudo bem com ela. Mas venha por favor. Eu... Eu realmente preciso falar com você, com muita urgência.

— Vou ter que me vestir.

— Venha, assim que puder. Vou ficar esperando. — E antes de Phoebe poder fazer qualquer objeção, já havia desligado.

Phoebe ficou sentada, segurando o fone a zumbir. Entreolhamo-nos perplexas, e eu podia imaginar, pela cara dela, que estava tão apreensiva quanto eu.

— Você ouviu isso?

— Sim.

Pensativamente recolocou o fone no gancho, e o zumbido cessou.

— Que diabo poderia estar errado? Ela parecia bastante nervosa.

Da cozinha vinham os sons de Lily encerando o chão e cantando hinos religiosos. Este era um sinal seguro de que se sentia nas nuvens.

— Protegei-nos, ó, Gran-de Je-e-ová...

Phoebe levantou-se. — Tenho que ir.

— Vou levá-la de carro.

— É melhor você me ajudar a me vestir, primeiro.

De volta ao seu quarto, tirou das gavetas e prateleiras uma seleção de roupas, ainda mais descasadas que de costume. Quando ficou pronta, sentou-se à penteadeira e penteei seus cabelos, fazendo-lhe uma nova trança, enrolando-a para trás da cabeça, de modo a formar um coque, e segurando-o enquanto ela o prendia com seus antiquados grampos de casco de tartaruga.

Ajoelhei-me para amarrar seus sapatos. Feito isto, ela me pediu: — Vá tirar o carro. Descerei num instante.

Peguei meu casaco, vesti-o e saí. A manhã brilhante, nacarada, cintilava por toda volta. Abri a garagem e convenci o velho carro a dar a partida. Já havia saído, de ré, da garagem e esperava na porta da frente, quando Phoebe apareceu. Ela havia colocado um de seus maiores e mais arrojados chapéus, e, para aquecer-se, havia jogado sobre os ombros um poncho brilhante de lã, sem dúvida tecido por algum camponês do Oriente Médio. Seus óculos escorregavam para a ponta do nariz; os cabelos, recém-penteados por minhas mãos inexperientes, já pareciam prestes a desabar. Nada disso importava. O que importava era que pela primeira vez em sua vida ela não tinha um sorriso no rosto, e isso bastou para deixar-me zangada com a Sra. Tolliver.

Atirou-se apressadamente no assento ao meu lado e saímos.

— O que não consigo entender — comentou Phoebe, dando um puxão em seu chapéu para enfiá-lo ainda mais em sua cabeça — é por que eu? Não sou nenhuma amiga especial da Sra. Tolliver. Ela tem muito mais intimidade com aquelas amáveis senhoras com quem joga bridge. Talvez tenha algo a ver com Charlotte. Ela sabe o quanto sou apegada à criança. É isso aí. Vai ver que — interrompeu-se, abruptamente. — Prue, por que estamos indo tão devagar? Você ainda está em segunda. — Engrenei uma terceira e continuamos nossa jornada a uma velocidade um pouco maior. — Devíamos estar com pressa.

— Eu sei — concordei. — Mas quero lhe contar uma coisa e não quero chegar na casa da Sra. Tolliver antes de terminar.

— O que é que você vai me contar?

— Pode não ter nada a ver com o que ela vai dizer. Mas, por outro lado, estou com a desagradável impressão de que tem. Não sei se devo contar nada. Mas por via das dúvidas, vou contar.

Phoebe suspirou profundamente.

— É sobre Charlotte, não é?

— Sim. Daniel é o pai dela.

As velhas mãos de Phoebe se mantiveram como estavam, apertadas sobre seu colo. — Ele lhe disse isso?

— Sim, ontem.

— Você podia ter falado alguma coisa ontem à noite.

— Ele não me pediu para contar.

Íamos tão devagar que tive que reduzir a marcha novamente quando o carro começou a subir lentamente a suave ladeira em direção à igreja.

— Então ele e Annabelle de fato tiveram um caso.

— Sim. Afinal de contas, como pode ver, não foi apenas uma brincadeira inconseqüente. No fim daquele verão, Annabelle contou a Daniel que ia ter um bebê dele. Daniel confidenciou-o a Chips. Chips fez ver que o bebê não era necessariamente de Daniel; poderia muito bem ser de outro homem. Então Chips confrontou Annabelle com essa possibilidade, e ela acabou admitindo que não podia saber com certeza de quem era o filho.

— Eu sempre me perguntei por que Daniel partiu tão precipitadamente para os Estados Unidos. Quero dizer, ele tinha estado falando sobre isso o verão inteiro e eu sabia que planejava ir. Mas de repente ele já estava indo. E logo não estava mais aqui.

— E não voltou por onze anos.

— Quando foi que ele percebeu que ela era sua filha?

— Assim que pôs os olhos nela, sentada lá no quebra-mar, tentando terminar seu desenho debaixo de chuva.

— *Como é* que ele soube?

— Parece que ela é igualzinha à mãe dele quando menina.

— Então não há dúvidas.

— Não, na cabeça de Daniel não. Nenhuma dúvida.

Phoebe calou-se. Logo suspirou de novo, um longo suspiro de preocupação. Deixou escapar atabalhoadamente: — Meu Deus.

— Desculpe, Phoebe. Não é uma coisa muito agradável de se dizer, não importa para quem seja.

— Estranhamente, talvez eu já soubesse. Sempre tive um relacionamento tão íntimo com Charlotte, do jeito que costumava ter com você. Do jeito que costumava ter com Daniel. E havia algumas coisinhas em sua pessoa... maneirismos... que me eram estranhamente familiares. A forma como ela segura o lápis, com os dedos todos enfeixados em volta dele. Daniel segura o lápis assim.

— Chips nunca lhe contou nada?

— Nem uma palavra.

— Talvez eu também não devesse ter contado. Mas se você vier a se confrontar com alguma revelação aterradora da Sra. Tolliver, é melhor estar de posse de alguns fatos.

— Agora já os tenho. Mas que grande reviravolta! —

Acrescentou, sem muitas esperanças: — Talvez seja só alguma coisa relacionada com o chá do Instituto das Mulheres. E então a sua bomba terá sido completamente inútil.

— Não é minha a bomba. E se eu não lhe tivesse contado, Daniel o faria. Além do mais, você sabe tão bem quanto eu que isso não vai ter nada a ver com o chá do Instituto das Mulheres.

Não havia tempo para mais nada. Mesmo dirigindo deliberadamente a passo de tartaruga, já havíamos coberto a curta distância entre o Holly Cottage e a White Lodge. Ali estavam os portões, a entrada para carros conservada com cuidado, a área de cascalho em frente à casa formal. Mas hoje a porta da frente estava aberta e, assim que estacionamos ao pé dos degraus, a Sra. Tolliver saiu pela porta e desceu a escada em direção a nós. Perguntei-me se ela não nos estaria esperando no saguão, sentada em uma daquelas horríveis cadeiras desconfortáveis que foram feitas não para sentar, e sim para outros fins, como encher de sobretudos e embrulhos.

Que se pudesse ver, ela não mostrava qualquer desalinho. Notei a saia bem-talhada como sempre, a blusa simples, um casaco de malha coral-escuro, as pérolas legítimas em volta do pescoço e presas aos lóbulos das orelhas, o cabelo grisalho bem arranjado.

Mas o tumulto interior era demasiado evidente. Parecia fora de si, o rosto manchado como se tivesse realmente chorado recentemente.

Phoebe abriu a porta do carro.

— Phoebe, que bom que você... Que ótimo que você veio. — Inclinou-se para ajudar Phoebe a sair e me viu sentada atrás do volante. Dei um sorriso amarelo.

— Prue teve que vir — disse Phoebe rapidamente. —

Para me trazer. Você não se importa que ela entre também, não é?

— Oh... — Era óbvio que se importava, mas o fato de ter sido esta única palavra, o máximo a que chegou sua objeção foi uma boa indicação da intensidade da aflição que a consumia. — Não. É claro que não.

Eu não tinha a menor vontade de entrar. Os últimos dois dias já me haviam deixado farta dos Tolliver, mas Phoebe obviamente me queria a seu lado; portanto, tentando parecer desinteressada e inexpressiva, saltei também do carro e, seguindo as duas mulheres, subi os degraus de pedra e entrei na casa.

O saguão era pavimentado de lajotas de pedra, salpicado de tapetes persas muito antigos. Uma graciosa escada com balaústres de ferro batido subia em caracol para os andares superiores. Fechei a porta da frente às minhas costas e a Sra. Tolliver nos conduziu pelo saguão até a sala de visitas. Esperou que passássemos pela porta e então fechou-a firmemente, como se receasse possíveis ouvidos indiscretos.

Era um aposento grande e formalmente mobiliado, com longas janelas de guilhotina, de frente para o jardim. O sol da manhã ainda não havia entrado por essas janelas, e o ambiente estava gelado. A Sra. Tolliver estremeceu.

— Está frio. Espero que não estejam com frio... tão cedo... — Seus instintos de anfitriã vinham à tona. — Quem sabe... acendemos a lareira...?

— Não sinto o menor frio — afirmou Phoebe. Escolheu uma cadeira e sentou-se com firmeza, ainda enrolada com seu poncho berrante e cruzando as pernas robustas na altura dos tornozelos, como uma rainha. — E então, minha querida. De que se trata?

A Sra. Tolliver foi até a lareira vazia e parou, apoiando-se com uma mão pousada ao longo da borda do console.

— Eu... Eu realmente não sei por onde começar...

— Tente pelo começo.

— Bem. — Inspirou profundamente. — Você sabe por que razão Charlotte está comigo?

— Sim. O *boiler* da escola dela explodiu.

— Sim, é claro. Mas o verdadeiro motivo é que a mãe dela — Annabelle — está em Maiorca. É por isso que não havia ninguém para tomar conta dela em casa. Bem... Recebi um telefonema ontem à noite, por volta de umas nove e meia...

Tirou a mão de cima do console, apalpou o punho do casaco e tirou um lencinho com as bordas rendadas. Continuou falando, brincando com o lenço, olhando para mim como se estivesse tentando rasgá-lo em pedaços.

— Era o meu genro, Leslie Collis. Annabelle o deixou. Ela não vai mais voltar. Está com esse tal homem. Um instrutor de equitação. Sul-africano. Ela vai voltar para a África do Sul com ele.

A enormidade de sua declaração nos deixou a todas em silêncio. Dava-me por feliz por não ter que dizer nada, mas olhei para Phoebe. Ela permanecia sentada sem se mexer e eu não podia ver a expressão de seu rosto, pois estava encoberto pela aba do chapéu.

E finalmente: — Sinto muito — disse, com um mundo de simpatia na voz.

— Mas, sabe, isso não é tudo. Eu... Eu realmente não sei como lhe dizer.

— Imagino — arriscou Phoebe — que tem alguma coisa a ver com Charlotte.

— Ele afirma que Charlotte não é sua filha. Aparentemente sempre soube disso, mas aceitou-a em consideração a Michael, pois queria manter seu lar unido. Mas jamais gostou da menina. Eu sempre soube que nunca tivera tempo algum para ela, embora, é claro, não fizesse a menor idéia do porquê disso. Isso me incomodava quando eu estava com eles. Ele era tão impaciente com ela, às vezes era como se ela não conseguisse fazer nada direito.

— Você nunca disse nada?

— Não queria causar problemas.

— Ela sempre me pareceu uma menina bastante solitária.

— Sim. Solitária. Ela nunca se adaptou. E nunca foi bonita ou atraente, como Annabelle costumava ser. Não quero que pensem que Leslie fosse *indelicado* com ela. Era só que todo o seu tempo e todo o seu afeto pareciam estar endereçados a Michael... e não sobrava muito para Charlotte.

— E a mãe dela?

A Sra. Tolliver deu uma risadinha indulgente: — Receio que Annabelle nunca tenha sido muito maternal. Assim como eu. Nunca fui muito maternal, também. Mas quando Annabelle era criança, as coisas eram mais fáceis. Meu marido estava vivo naquela época, e tínhamos condições de bancar uma babá para Annabelle. Além disso eu tinha ajuda para cuidar da casa. As coisas eram mais fáceis.

— O seu genro sabia que Annabelle estava tendo um caso com esse homem... o instrutor de equitação?

A Sra. Tolliver pareceu constrangida, como se Phoebe a tivesse ofendido deliberadamente. Desviou o olhar, manuseando uma pastora chinesa que ficava em cima do console. — Eu... Eu não lhe perguntei isso. Mas... você conhece Annabelle, Phoebe. Ela sempre foi...

Ela hesitou e aguardei com interesse. Como é que uma

mãe descreve sua única filha, que, pelo que todos dizem, é ninfomaníaca?

— ... atraente. Cheia de vida. Leslie ficava em Londres o tempo todo. Eles não se viam muito.

— Então ele não sabia — concluiu Phoebe sem rodeios — ou talvez apenas suspeitasse.

— Sim, talvez apenas suspeitasse.

— Bem — disse Phoebe, indo direto ao ponto. — E agora, o que vai ser de Charlotte?

Com todo o cuidado, a Sra. Tolliver recolocou a estatueta chinesa exatamente na posição habitual. Olhou para Phoebe, e sua boca tremia, mas eu não saberia dizer se de um início de choro ou de indignação.

— Ele não quer Charlotte de volta. Disse que ela não é nem nunca foi filha dele, e que, agora que Annabelle o abandonou, pretende eximir-se de qualquer responsabilidade com relação a ela.

— Mas ele não pode fazer isso — exclamou Phoebe, sua ira crescendo diante da mera sugestão de tal comportamento.

— Não sei se pode ou não. Não sei o que fazer.

— Já que é assim, ela deve ficar com a mãe. Annabelle tem que levá-la para a África do Sul.

— Eu... Eu não acredito que Annabelle vá querer ficar com ela.

A enormidade disto silenciou-nos a ambas, Phoebe e eu. Sem acreditar, ficamos olhando para a Sra. Tolliver, e um rubor insinuou-se subindo por seu pescoço.

Finalmente Phoebe explicitou sem rodeios: — Você quer dizer que Charlotte iria atrapalhar os planos de Annabelle.

— Não sei. Annabelle... — Esperei que ela nos dissesse a seguir que Annabelle não tinha por Charlotte mais afeto do que Leslie Collis. Porém a Sra. Tolliver não conseguiria permitir-se dizer uma coisa dessas. — Eu não sei o que estou tentando dizer. Sinto-me completamente dilacerada. Tenho pena da criança, mas, Phoebe, eu não posso ficar com ela aqui. Estou velha demais. Esta não é uma casa adequada para uma criança. Não tenho um quarto de crianças, nem mesmo tenho brinquedos. A casa de bonecas de Annabelle já se foi há anos, e dei todos os seus livros infantis para o hospital.

Pensei comigo mesma: *Não foi à toa que Charlotte adorou o carrossel.*

— E tenho a minha própria vida. Meus próprios compromissos, minhas amigas. E não se pode dizer que ela fique particularmente feliz aqui. Fica perambulando desanimada a maior parte do tempo, sem falar ou fazer nada. Admito, acho-a difícil. E Betty Curnow só vem de manhã. Não me dá uma grande ajuda. Eu... não sei o que fazer. Estou completamente perdida.

Desde o início, ela estivera à beira das lágrimas. Agora, no limite de sua resistência, perdera o controle. O choro de mulheres mais velhas é feio. Talvez por vergonha de suas lágrimas, talvez por desejar poupar-nos do constrangimento, afastou-se da lareira e encaminhou-se para a janela, onde ficou, de costas para nós, como se estivesse admirando o próprio jardim. De lá vieram os sons de penosos soluços.

Eu sabia que estava atrapalhando e queria sair dali. Olhei suplicantemente em direção a Phoebe e consegui chamar sua atenção.

Phoebe disse na mesma hora: — Sabe, acho que uma boa xícara de café quente faria bem a todas nós.

A Sra. Tolliver não se virou, mas dentro em pouco,

com a voz sufocada, lamentou-se pateticamente: — Não há ninguém para trazer. Mandei Betty Curnow e Charlotte irem à vila. Charlotte queria comprar algumas Coca-Colas. Nós... Nosso estoque acabou. Além disso, pareceu-me uma boa desculpa para tirá-la de casa. Não a queria por aqui enquanto eu conversava com vocês...

— Eu posso fazer café — ofereci-me.

A Sra. Tolliver assoou o nariz. Pareceu ajudar um pouco. Ligeiramente recuperada, olhou-me por cima do ombro. Seu rosto estava borrado e inchado.

— Você não vai saber onde achar nada.

— Posso procurar. Se você não se importar que eu entre em sua cozinha.

— Não. De jeito nenhum. Bondade sua...

Deixei-as. Saí em silêncio da sala de visitas, fechei a porta e me inclinei sobre ela, como as pessoas fazem nos filmes. Não conseguia gostar da Sra. Tolliver, mas era impossível não sentir uma pena horrível dela. Sua existência bem organizada parecia estar desabando sobre sua cabeça. Apesar de tudo, Annabelle era sua única filha. Agora o casamento de Annabelle desmoronara e ela fora embora com seu novo amor para o outro lado do mundo, abandonando os filhos e todas as responsabilidades.

Mas ainda assim eu sabia que o golpe mais doloroso de todos para o orgulho de uma mulher como a Sra. Tolliver fora a vergonhosa revelação de que Charlotte não era filha de Leslie Collis, e sim o fruto infeliz de um dos muitos casos amorosos de Annabelle.

Indaguei-me se ela fazia alguma idéia de qual deles tinha sido. Para o bem de todos nós, esperava que não.

E Charlotte. *Aquela carinha.* Não conseguia pensar nela. Afastei-me da porta e saí à procura da cozinha.

Através de tentativas e erros, abrindo portas de armários e puxando gavetas ao acaso, finalmente consegui uma bandeja, xícaras e pires, um açucareiro e algumas colheres. Enchi a chaleira elétrica e encontrei um pote de café instantâneo. Resolvi que poderíamos passar sem biscoitos. Depois que a água da chaleira ferveu, enchi as três xícaras e levei a bandeja para a sala de visitas.

Elas ainda estavam lá, porém a Sra. Tolliver, na minha ausência, parecia ter parado de chorar e se recomposto. Estava agora sentada numa espaçosa cadeira vitoriana, de frente para Phoebe.

— ... Talvez — dizia Phoebe — seu genro mude de idéia com relação a Charlotte. Afinal de contas, ela tem um irmão, e sempre se considerou muito errado desmembrar famílias.

— Mas Michael é muito mais velho que Charlotte. Muito mais maduro. Creio que nunca tiveram nada em comum...

Assim que apareci na porta, a Sra. Tolliver levantou os olhos e imediatamente desenhou-se um sorriso educado nos cantos de sua boca. Ela era uma dama em quem as boas maneiras sociais afloravam automaticamente, até mesmo em momentos de ansiedade.

— Que gentileza, Prue. Tão simpática. — Coloquei a bandeja sobre um tamborete baixo. — Oh — franziu levemente a sobrancelha. — Você pegou as xícaras melhores.

— Desculpe. Foram as primeiras que encontrei.

— Ora, deixe para lá. Uma vez só não vai fazer mal.

Passei a Phoebe seu café. Ela o pegou e mexeu-o pensativamente. Sentei-me também, e por um momento instalou-se um silêncio, quebrado apenas pelo tilintar de colheres mexendo o café, como se estivéssemos juntas para uma reunião agradável.

Phoebe quebrou o silêncio: — Na minha opinião — disse — não existe a hipótese de Charlotte retornar para a casa dela. Pelo menos até as coisas se acalmarem e Leslie Collis o ter tido tempo para pôr a cabeça no lugar.

— Mas, e a escola dela?

— Não a mande de volta para aquela escola. Não me cheira bem, com o *boiler* explodindo daquela forma. Deve ser muito mal-administrada. De qualquer forma, Charlotte ainda é muito nova para estar em um internato; além do mais, não faz o menor sentido ela voltar para lá se o seu lar está despedaçado. Seria o bastante para provocar um colapso nervoso em qualquer criança. — Phoebe estava sentada com a xícara e o pires no colo, e olhava severamente para a Sra. Tolliver. — Você tem que tomar muito cuidado. Você não quer assumir a responsabilidade por Charlotte, e eu compreendo isso; mas, por enquanto, até onde consigo ver, você já tem essa responsabilidade. Uma vida em suas mãos. Uma vida jovem e sensível. Ela já vai ficar bastante magoada quando souber o que a mãe fez. Vamos nos esforçar para que ela não sofra mais do que o inevitável.

A Sra. Tolliver começou a dizer alguma coisa, porém Phoebe, com uma rudeza pouco habitual, atropelou-a.

— Eu disse que entendo a sua situação. Tudo vai ser muito difícil. Por esse motivo acho que seria muito melhor que você ficasse aqui sozinha, sem Charlotte por perto escutando conversas e possivelmente ouvindo por acaso ligações telefônicas que não devesse escutar. Ela é uma criança inteligente e saberá instintivamente que alguma coisa está errada. Sugiro então que você simplesmente lhe diga que ela vai morar comigo por um tempo.

Oh, querida Phoebe. Oh, abençoada Phoebe.

— Sei que estou meio baqueada agora, mas Prue vai estar comigo por mais dez dias, e Lily Tonkins é sempre uma fortaleza em situações de emergência.

— Mas, Phoebe, isso é demais.

— Gosto muito de Charlotte. Vamos nos dar muito bem.

— Eu sei disso. E sei que ela é muito dedicada a você. Mas... ai, não pense que não estou grata... todos vão achar muito estranho. Deixar-me a mim, sua avó, e ir morar com você. O que as pessoas vão pensar? O que irão dizer? Essa é uma vila pequena e você sabe que tanto Lily Tonkins quanto Betty Curnow vão falar.

— Sim, vão falar. As pessoas sempre fazem comentários. Mas toda a fofoca do mundo é melhor do que deixar que aquela menina se magoe ainda mais. Além disso — dizia Phoebe ao assentar a xícara de café vazia — ambas temos ombros largos, e — deu uma risadinha — encaramos a realidade; com certeza estamos ficando um pouco velhas demais para nos deixarmos incomodar por um bocadinho de disse-me-disse. Então, o que você acha?

A Sra. Tolliver, obviamente aliviada, finalmente capitulou.

— Não me custa admitir que isso tornaria as coisas muito, muito mais fáceis para mim.

— Você vai estar em contato com o seu genro de novo?

— Sim. Disse que lhe telefonaria esta noite. Ontem estávamos ambos ficando um pouco exaltados demais. Acredito que provavelmente ele tenha bebido além da conta. Não que eu o censure por isso; nós dois não estávamos sendo muito sensatos.

— Sendo assim você pode dizer-lhe que Charlotte vai

ficar no Holly Cottage por algum tempo. E pode dizer também que ela não vai voltar para aquele internato. Talvez consigamos matriculá-la aqui, na escola local. Você pode discutir isso com ele.

— Sim. Sim, eu farei isso.

— Então, está combinado. — Phoebe se levantou. — Charlotte já havia combinado ir ao Holly Cottage esta manhã. Prue vai levá-la a um piquenique. Arrume uma mochila e faça com que ela a traga. Mas não diga nada à criança a respeito da mãe dela.

— Mas ela vai ter que saber.

— Você é da família, é próxima demais, está muito envolvida. Eu contarei a ela.

Por um momento achei que a Sra. Tolliver ia fazer objeção a isso. Tomou fôlego para dizer alguma coisa, mas então olhou Phoebe nos olhos e acabou não dizendo nada.

— Está bem, Phoebe.

— Vai ser mais fácil eu contar a ela. Para todos nós.

Arrastamo-nos de volta para casa no mesmo passo de tartaruga. Descemos a entrada de carros da White Lodge, passamos por seus portões e pelo bosque de carvalhos. Dobramos a esquina na altura da igreja; a estrada que nos conduziria até em casa fez um longo declive à nossa frente, de modo que podíamos ver todo o extenso lago azul que era o estuário, as águas da maré cintilando com pequenos pontos de sol.

— Prue, pare o carro um instante.

Atendendo seu pedido, estacionei o carro na beira da estrada e desliguei o motor. Ficamos algum tempo sentadas como duas turistas sem destino, fitando a vista familiar como se nunca a tivéssemos visto antes. Na costa ao longe, as suaves colinas, entremeando pequenos campos, cochilavam ao calor da manhã. Reduzido pela distância ao tamanho de um brinquedo, um trator vermelho arava, arrastando em sua esteira um bando de gaivotas brancas a gritar.

No final da estrada, na parte da costa protegida contra o vento, o Holly Cottage esperava por nós, escondido pelo cimo da colina, dormitando ao abrigo do sol. Mas aqui no cume da ladeira, a brisa do mar nunca parava. Nesse instante o vento fraco nivelava os capins esmaecidos às valas da beira da estrada e balançava as folhas das pontas dos galhos mais altos das árvores que cercavam com o antigo adro da igreja.

— Tão tranqüilo — comentou Phoebe, como se estivesse pensando alto. — A gente pode pensar que aqui, nesse fim de mundo, está a salvo de tudo. Eu pensava assim, quando me mudei para cá com Chips. Achava que havia escapado. Mas não há como escapar da realidade. Crueldade, indiferença, egoísmo.

— Todas essas coisas fazem parte das pessoas, e as pessoas estão em todo lugar.

— Destruindo. — Phoebe ruminou um pouco mais sobre isso, e então concluiu com um tom de voz diferente: — Pobre mulher.

— A Sra. Tolliver. É. Eu também sinto pena dela. Mas ainda assim me pergunto por que teria ela escolhido confiar justo em *você*.

— Ah, minha querida, é óbvio. Ela sabe que sou uma velha pecadora. Nunca vai esquecer que o Chips e eu vivemos felizes em pecado anos a fio. Ela podia falar comigo coisas que nunca poderia ter confidenciado a suas outras amigas. A esposa do Coronel Danby, ou a viúva gerente do banco de Porthkerris — elas ficariam estarrecidas. E, é claro, o que mais lhe está doendo é seu orgulho.

— Também achei isso. Mas você foi maravilhosa. Você é sempre maravilhosa, mas esta manhã você foi mais maravilhosa do que o habitual.

— Isso é o que não sei.

— Só espero que você não tenha dado um passo maior do que as pernas. Suponha que Leslie Collis realmente não queira mais nada com Charlotte; você vai acabar ficando com ela indefinidamente.

— Eu não me importaria com isso.

— Mas Phoebe... — Parei, pois não se pode dizer a uma pessoa a quem se ama: "Você está velha demais", mesmo que ache que esteja.

— Você acha que estou velha demais?

— E outras coisas mais. Você tem uma vida própria tanto quanto a Sra. Tolliver. Por que você é quem tem que desistir de tudo? E, sejamos francas, todos nós estamos envelhecendo. Até mesmo eu estou envelhecendo...

— Tenho sessenta e três anos. Se conseguir continuar viva e ativa por mais dez anos, vou estar só com setenta e três. E isso é ser jovem, se você pensar em Picasso ou Arthur Rubenstein.

— O que é que eles têm a ver com isso?

— E até lá Charlotte vai ter vinte anos e poderá tomar conta de si mesma. Eu realmente não vejo como isso possa ser um grande problema.

O pára-brisa do Volkswagen estava empoeirado. Encontrei em algum canto um trapo encardido e, de um jeito meio desordenado, comecei a tentar limpar o vidro.

— Enquanto eu estava na cozinha fazendo o café, ela fez alguma referência a Daniel? — indaguei.

— Nenhuma.

— Você não comentou nada?

— Deus me livre!

Eu só estava conseguindo encher o pára-brisa de manchas de gordura. Enfiei o trapo de volta em seu esconderijo.

— Ele vem aqui, você sabe, hoje de manhã, para o piquenique. Ofereci-me para buscá-lo de carro, mas ele disse que preferia vir sozinho.

— Ainda bem.

Olhei para ela. — Você vai contar isso tudo a ele?

— É claro que vou contar. Vou contar-lhe tudo. Três cabeças pensam melhor que duas, e estou farta de todos nós guardando segredos uns dos outros. Quem sabe, se não o tivéssemos feito, nada disso teria acontecido.

— Oh, Phoebe, acho difícil de acreditar.

— Talvez esteja certa. Mas vamos começar a ser completamente francos e sinceros; assim todos saberemos em que pé estamos. Além disso, Daniel tem o direito de saber.

— O que você acha que ele vai fazer?

— *Fazer?* — Phoebe olhou-me com perplexidade. — Por que deveria fazer alguma coisa?

— Ele é o pai de Charlotte.

— Leslie Collis é o pai de Charlotte.

Foi exatamente o que eu dissera a Daniel, sentada com ele frente à pretensa lareira; tentando ser realista e sensata, encorajando-o. Mas com certeza, agora, as coisas estavam tomando um rumo diferente.

— Ele pode não *ser* responsável — salientei — mas isso não vai impedi-lo de se sentir assim.

— E o que é que você acha que ele vai fazer?

— Não sei.

— Nesse caso, eu posso lhe dizer. Nada. Pois não há

nada que ele possa fazer. E porque, mesmo se houvesse, ele não o faria.

— Como é que você sabe?

— Porque conheço Daniel.

— Eu também o conheço.

— Quisera eu que isso fosse verdade.

— O que você quer dizer com isso?

Phoebe suspirou. — Ah, nada. É só que receio que você se tenha apaixonado por ele.

Sua voz, como sempre, era neutra, como se estivesse falando de algo sem importância. Por isso, fui pega desprevenida. Retorqui, tentando ser tão casual quanto ela: — Acho que não sei realmente o que é se apaixonar. Sempre foi o tipo da palavra que não constou do meu vocabulário. Como "perdoar". Nunca compreendi o significado da palavra "perdoar". Se você não perdoa, é mau, rancoroso e guarda ressentimentos; se perdoa, então é presunçoso e hipócrita.

Phoebe, porém, não se deixou levar por essa interessante discussão. Manteve-se firmemente no assunto.

— Bem, "amor" então. Talvez seja uma palavra mais fácil de definir.

— Se você quer definições, sinto-me como se sempre o tivesse conhecido. Como se já tivéssemos compartilhado um passado. E não quero perdê-lo, pois acho que precisamos um do outro.

— Você se sentiu assim antes de ele revelar a grande saga de Annabelle?

— Acho que sim. Sim. Como pode ver, não estou só sentindo pena dele.

— E por que você sentiria pena dele? Ele tem tudo — juventude, talento, e agora fama, dinheiro e todas as coisas materiais que vêm junto.

— Mas como é que você pode não levar em conta o que houve entre ele e Annabelle? Ele passou onze anos se sentindo culpado porque nem sabia se a criança era dele ou não. Você não sentiria pena de um homem que levasse nas costas essa carga de culpa por onze anos?

— A culpa foi criação dele mesmo. E ele não precisava fugir.

— Talvez ele não tenha fugido. Talvez ele tenha apenas feito o que Chips lhe sugerira, a única coisa possível e sensata.

— Ele falou disso com você?

— Sim, e me convidou para ir à Grécia com ele. Para Spetsai. E isso foi antes de me contar a respeito de Annabelle e Charlotte. Mas depois voltamos a conversar sobre isso e ele falou que de nada adiantaria, pois não tinha como continuar fugindo do que trazia no interior de sua própria mente.

— Você teria ido? À Grécia?

— Sim.

— E depois?

— Não sei.

— Isso não basta para você, Prue.

— Você até parece a minha mãe.

— Correndo o risco de parecer sua mãe — que, diga-se de passagem, não é nenhuma boba —, tenho que dizê-lo. Você não conhece Daniel. Ele é um verdadeiro artista: impenetrável, irrequieto, nada prático.

— Eu sei que ele não é prático. — Sorri. — Certa vez me contou que teve um carro, e que no fim de três anos só tinha aprendido a operar o aquecedor.

Mas Phoebe ignorou minha pequena tentativa de humor e continuou obstinadamente.

— Além disso, ele não é confiável, pois está sempre perdido em sua própria forma de criação. Isso faz dele, de certa forma, uma pessoa negativa. Enlouquecedora.

— Ah, pare com isso, Phoebe, você sabe que o adora.

— Sim, Prue, eu o adoro. Mas confrontando-o com as decisões e responsabilidades do dia-a-dia, jamais consegui de fato prever qual seria sua reação.

— Você está falando dele como um marido em potencial?

— Eu não ousaria me intrometer tanto.

— Você o conheceu quando ele tinha vinte anos. Não pode julgá-lo pela pessoa que foi onze anos atrás. Agora ele é um homem.

— Sim, sei disso. E as pessoas amadurecem, é claro. Mas será que a personalidade delas muda tanto assim? Você é uma pessoa tão especial, Prue, eu jamais gostaria de que fosse magoada. E Daniel poderia magoá-la. Não deliberadamente, mas pelo pecado da omissão. O trabalho preenche sua vida, e eu não sei que espaço resta para coisas pessoais como amar as pessoas, estar com elas e tomar conta delas.

— Talvez eu pudesse tomar conta dele.

— Sim, talvez pudesse, por algum tempo. Mas acho que não indefinidamente. Não vejo como é possível ficar para sempre com um homem, sabendo que ele tem medo da continuidade, de envolvimentos emocionais e de se prender.

Não adiantava discutir com ela. Fiquei sem dizer nada, olhando para a frente através do pára-brisa empoeirado, sem enxergar nada. E o que era engraçado é que nós duas parecíamos estar do mesmo lado. Ela estendeu a mão e colocou-a sobre a minha. Seus dedos estavam quentes, mas pude sentir a pressão fria e dura de seus anéis volumosos e fora de moda.

— Não crie fantasias com relação a Daniel. Provavelmente elas nunca se tornarão realidade. E se você nada esperar dele, pelo menos nunca irá se decepcionar.

Eu estava pensando em Charlotte: — Não acredito que ele vá fugir disso.

— E eu acredito que ele não terá alternativa. Talvez você devesse fugir também. Voltar para Londres. Acerte a sua vida. Ligue para aquele simpático jovem que lhe deu os crisântemos mortos.

— Oh, *Phoebe*. — Tive que fazer um certo esforço para lembrar até mesmo o nome dele. — Elas não estavam mortas quando ele me deu.

— Quando o vir de novo, você poderá se sentir bem diferente com relação a ele.

— Não. Isso não vai acontecer. E, de qualquer forma, ele não me faz rir. — Nigel Gordon. Agora eu sabia que provavelmente nunca deveria ir à Escócia.

— Bem, você tem que chegar a uma decisão. — Deu-me um tapinha na mão e em seguida recostou-se em seu banco com as mãos no colo. — Já disse tudo. Já me intrometi. Limpei minha turva consciência. Talvez agora devêssemos ir para casa e dar a Lily Tonkins a notícia de que Charlotte está vindo para ficar. Se existir algo que a consiga impedir de cantar "Protegei-nos, Ó Grande Jeová", será isto. Por outro lado, ela sempre gostou de um drama, portanto pode ser que o aceite bastante bem. Além disso, Charlotte vai estar aparecendo lá no Holly Cottage a qualquer momento e temos que organizar o piquenique, como se a vida já não fosse suficientemente complicada.

Eu havia esquecido o piquenique. Agora, ligando o

motor e soltando o freio de mão, desejei que Phoebe não tivesse achado necessário lembrar-me.

—Bem, não sei não—disse Lily quando lhe contamos que Charlotte viria para ficar. —Deixar a avó e vir para cá. Parece engraçado. — Olhou da cara inocente de Phoebe para a minha. Sorri precipitadamente, com uma animação forçada. — Pensando bem, acho que não é tão surpreendente assim. A criança fica aqui a maior parte do tempo sempre que vem passar uns dias com a Sra. Tolliver. Não custa nada fazer uma cama e acabar logo com isso.

Phoebe pareceu aliviada. — Você é uma boa pessoa, Lily. Espero que não seja trabalho extra demais. Sei que você já tem muito o que fazer do jeito que está agora, mas assim que tirarem o meu braço desse maldito aparelho…

— Não se preocupe, Srta. Shackleton, nós nos sairemos muito bem. De qualquer forma, ela não é problema. É muito quietinha. Nem mesmo come muito. — Passou os olhos mais uma vez do rosto de Phoebe para o meu. —Não há nada de *errado,* há?

Houve uma pequena pausa. Então Phoebe respondeu: — Não. Na verdade, não. Mas a Sra. Tolliver acha… difícil ficar com Charlotte morando na White Lodge. Creio que elas não acham muito fácil conviverem, e nós todas decidimos que seria melhor que ela viesse para cá por um tempo.

— Bem, certamente é bem mais divertido para ela — salientou Lily. — Betty Curnow é uma ótima pessoa, mas nunca foi muito alguém com quem se divertir. Quando estávamos na escola, costumávamos chamá-la de Dona

Presunçosa, e casar-se com um inspetor sanitário não a tornou mais descontraída e agradável.

—Sim. Bem, pode ser que Joshua Curnow não seja o mais jovial dos homens, mas tenho certeza de que se saiu um ótimo marido para Betty —ponderou Phoebe brandamente antes de trazer Lily de volta ao assunto. — Onde você acha que Charlotte devia dormir?

— Vamos colocá-la no velho quarto de vestir do Sr. Armitage. A cama está feita; só precisa arejar um pouco.

—E o piquenique, não esqueça. Eles vão sair para um piquenique.

—Isso mesmo. Fiz sanduíches de presunto e coloquei um pouco de salada num pote de plástico. E fez bolo de chocolate com glacê de laranja…

—Que delícia. Bem que eu queria ir… é o meu favorito… mas que piquenique adorável… —E Phoebe dirigiu-se para cima a fim de livrar-se do poncho e trocar os sapatos. Ouvimos seus passos atravessando o assoalho acima de nós.

—Você é uma fortaleza, Lily —observei. —É isso que a Phoebe sempre diz de você.

—Deixa disso —disse Lily, satisfeita.

—Eu posso ajudá-la. Dê-me alguma coisa para fazer para ajudá-la.

—Você podia tirar o fio das vagens para o jantar desta noite. Uma coisa que eu não suporto é tirar fio de vagens. Dê-me uma cenoura para descascar ou um nabo, que fico feliz da vida. Mas ficar perdendo tempo às voltas com esses raios dessas vagens, isso eu não suporto…

Assim, acabei no jardim, ao sol, em uma das cadeiras de jardim bambas de Phoebe, tirando fio de vagens, quando finalmente Charlotte chegou. Ouvi o barulho de um carro, deixei de lado a faca e a cesta, e atravessei a casa até a frente, lá encontrando Phoebe e Lily, que se anteciparam a mim. Betty Curnow tinha trazido Charlotte, no carro da Sra. Tolliver. Charlotte já havia saltado, e Lily havia aberto o bagageiro e estava tirando sua mala. Charlotte usava seu casaco de flanela cinza, com a bolsa de mão vermelha pendurada em um dos ombros. Suas roupas de viagem. Pus-me a imaginar como é que ela se sentira, colocando-as; vestindo-se para outra viagem, para outra casa; jogada de um lugar para outro porque ninguém a queria, ninguém podia se incomodar tomando conta dela.

— Olá, Charlotte.

Ela se virou e me viu: — Olá. — Estava muito pálida, sem sorrir. Seus óculos estavam tortos. O cabelo parecia oleoso, como se precisasse de uma boa lavagem, e alguém — talvez ela mesma — tinha-o repartido desleixadamente e prendido a franja com um prendedor de plástico azul.

— Que bom que você chegou. Quer subir e dar uma olhada no seu quarto?

— Tá bem.

Lily e Phoebe estavam ocupadas conversando com Betty Curnow, então peguei a mala e fomos juntas em direção à porta da frente. Mas então Charlotte lembrou das boas maneiras e parou.

— Muito obrigada por ter me trazido, Sra. Curnow.

— De nada, meu amor — respondeu Betty Curnow. — Veja lá, seja uma boa menina.

Subimos para o andar superior. O quartinho que fora o quarto de vestir de Chips era contíguo ao meu. Lily o havia arrumado rapidamente e ele exalava um forte cheiro de cera de assoalho e de roupa de cama limpa e engomada.

Phoebe encontrara tempo de colher flores para a penteadeira, e a janela aberta emoldurava a mesma vista de que eu tanto gostava, do jardim, da cerca de escalônias e da maré enchente do estuário distante.

O quarto era tão pequeno e agradável, tão exatamente do tamanho e do formato certos para uma garotinha, que eu esperava uma centelha de entusiasmo. Mas Charlotte parecia não estar vendo nada; sua expressão nada mostrava.

Coloquei sua mala no chão. — Você quer desfazer a mala agora ou mais tarde?

— Eu só queria tirar o Teddy.

Teddy estava por cima, achatado. Ela o pegou e colocou-o sobre seu travesseiro.

— E o resto?

— Não tem importância. Eu arrumo depois.

— Bem... se quiser tirar o casaco, você pode descer para o jardim e me ajudar. Estou tirando fio de vagens para Lily Tonkins, e um pouquinho de ajuda não me faria mal nenhum.

Ela tirou a bolsa do ombro, colocou-a na penteadeira e em seguida desabotoou o casaco. Peguei um cabide e coloquei-o no guarda-roupa. Por baixo do casaco ela usava uma camiseta azul e uma saia de algodão desbotada.

— Quer um suéter?

— Não. Estou bem.

Descemos ao primeiro andar novamente. Encontrei um velho tapete de carro na cômoda do saguão, e peguei, na cozinha, uma outra faca da gaveta. Voltamos para o jardim. Estendi o tapete e sentamos nele juntas, com a cesta de vagens e a maior caçarola de Lily entre nós.

— As facas estão muito afiadas. Você vai ter cuidado para não se cortar?

— Já tirei fio de vagens um montão de vezes.

Pausa.

— Não está um dia lindo? Você não se esqueceu do nosso piquenique, não é?

— Não.

— Daniel também vai, com certeza. Ele deve estar chegando a qualquer momento. Disse que ia tentar pegar uma carona de Porthkerris.

Pausa.

— Eu queria que Phoebe fosse conosco a Penjizal, mas ela disse ter medo de que o vento a derrube da beira do penhasco. Você se lembrou de trazer a Coca-Cola?

— Sim. A Sra. Curnow disse que ia entregar para Lily.

— Lily fez sanduíches de presunto para nós, do jeito que você queria. E um bolo de chocolate…

Charlotte olhou para mim: — Você não tem que ficar me agradando, sabia?

Senti-me, e com uma certa razão, extremamente tola.

— Desculpe — disse.

Ela voltou a cortar a vagem desajeitadamente.

— Charlotte… você não queria vir ficar com Phoebe?

— Eu nunca fiquei aqui antes.

— Eu não… não sei o que é que você está querendo dizer.

— Aconteceu alguma coisa. E ninguém quer me contar.

Eu estava apreensiva. — Por que é que você está dizendo isso?

Não respondeu, mas um movimento atrás de mim chamou sua atenção e ela olhou, por cima do meu ombro. Virei-me e vi Phoebe saindo pela porta do jardim. Ainda usava o chapéu, porém havia abandonado o poncho berrante, e agora o lenço que trazia amarrado ao pescoço esvoaçava à brisa como uma pequena bandeira, e os raios de sol rebrilhavam sobre nós, refletidos nas correntes de ouro penduradas em seu pescoço. Com o braço bom, arrastava uma espreguiçadeira; levantei-me para tomá-la e colocá-la ao lado do tapete onde estávamos sentadas. Ela se instalou na espreguiçadeira, seus joelhos projetando-se debaixo do tecido barato de sua saia.

Não parecia haver justificativas para mentir. Chamei sua atenção e olhei-a fixamente nos olhos. — Charlotte e eu estávamos agora mesmo conversando. — O olhar dela estava tranqüilo e despreocupado. Eu sabia que ela havia entendido. Acomodei-me novamente no tapete e peguei minha faca. — Ela está querendo saber por que ela está aqui.

— Principalmente — declarou-lhe Phoebe — porque nós queremos você.

— A mamãe não vai voltar de Maiorca, não é?

— Por que diz isso?

— Ela não vai voltar, não é?

— É — anuiu Phoebe.

Selecionei uma vagem e comecei, com todo o cuidado, a desfiá-la e cortá-la.

— Eu sabia — desabafou Charlotte.

— Você pode nos dizer como sabia?

— Porque ela tinha aquele amigo. Ele se chamava Desmond. Costumava ir visitá-la. Ele tinha uma escola de equitação bem perto da nossa casa de Sunningdale. Eles costumavam andar a cavalo juntos e depois ele voltava para tomar um drinque ou coisa parecida. Ele se chamava Desmond. Ela foi para Maiorca com ele.

— Como é que você sabe disso?

— Era uma noite no final das férias, antes de eu voltar para a escola e o *boiler* explodir. Papai estava em Bruxelas trabalhando. Eu tive que me levantar no meio da noite para ir ao banheiro, e aí fiquei com sede, e pensei em descer e pegar um pouco de Coca na geladeira. Eu não posso, mas faço isso de vez em quando. E aí, quando eu estava no meio da escada, ouvi vozes. Ouvi um homem falando, e pensei que podia ser um ladrão. Pensei que talvez fosse um ladrão e que ele ia atirar na mamãe. Mas aí ele disse alguma coisa e vi que era o Desmond. Então me sentei na escada e fiquei ouvindo. E eles estavam falando sobre Maiorca. Ela tinha dito ao papai que ia viajar de férias com uma velha amiga de escola. Eu a ouvi dizer isso para ele um dia, no café da manhã, mas eu sabia que ela ia com o Desmond.

— Você falou alguma coisa?

— Não. O papai nunca me ouve mesmo, e eu estava com medo.

— Com medo do seu pai?

— Não. Com medo, só. Com medo de ela ir e nunca mais voltar.

— Você sabia que seu pai ligou para a sua avó ontem à noite?

— Eu não estava dormindo. Ouvi o telefone tocar. A sala de estar da vovó é embaixo do meu quarto. Dá para ouvir as pessoas falando, mas não dá para ouvir o que elas dizem. Mas eu consegui ouvir ela dizer o nome dele. Ele se chama Leslie. E então eu fiquei sabendo que era ele. Eu pensei que de repente o papai tinha ligado só para ver como é que eu estava. Mas hoje de manhã tudo parecia tão horrível; daí eu fiquei sabendo que não tinha sido só isso. E a vovó estava toda esquisita e mal-humorada, e então ela me mandou ir com a Betty Curnow até a vila para comprar Coca. Foi aí que eu soube que alguma coisa estava errada, porque eu sempre tenho permissão de ir sozinha para a vila.

— Acho que a sua avó não queria, sem necessidade, que você ouvisse. Não queria que você ficasse aflita.

— E quando nós voltamos para casa, a Sra. Curnow e eu, a vovó disse que eu ia vir ficar com você.

— Espero que você tenha gostado.

O tempo todo em que falara, Charlotte esteve sentada com os olhos baixos, brincando com uma vagem que, lenta e deliberadamente, despedaçara em farrapos. Agora erguia os olhos ansiosos para Phoebe, por detrás das lentes daqueles seus óculos que não lhe caíam nada bem. Ela estava sendo muito corajosa.

— Ela nunca mais vai voltar, não é?

— É verdade. Ela vai morar na África do Sul.

— O que vai acontecer com a gente? Com Michael e comigo? O papai não pode tomar conta de nós. Pelo menos, ele não se incomodaria de tomar conta do Michael. Eles estão sempre fazendo alguma coisa juntos, atirando, assistindo partidas de *rugby*, coisas desse tipo. Mas ele não ia querer cuidar de mim.

— Talvez não — disse Phoebe. — Mas eu vou. É por isso que perguntei para a sua avó se poderia ficar com você aqui comigo.

— Mas, para *sempre*?

— Nada é para sempre.

— Eu nunca mais vou ver o Michael e o papai de novo?

— Sim, é claro que vai. Afinal de contas, Michael é seu irmão.

Charlotte torceu o nariz. — Ele nem sempre é muito legal. Eu não gosto dele tanto assim.

— Mesmo assim, ele é seu irmão. Talvez, nas próximas férias, ele queira vir passar uns dias comigo também. Mas acredito que sua avó possa querer ficar com ele.

— Ela não me quis — salientou Charlotte.

— Você não deve pensar assim. Ela só não acha muito fácil ter uma pessoa da sua idade pela casa. Isso se chama não levar jeito com crianças. Muitas das melhores pessoas são assim.

— Você leva jeito com crianças — declarou Charlotte.

— É porque gosto delas.— Phoebe sorriu. — Especialmente de você. É por isso, pelo menos por enquanto, que quero que você fique aqui.

— Mas, e a minha escola? — Charlotte ainda estava bastante desconfiada. — Tenho que voltar para a escola no final dessa semana.

— Conversei sobre isso com sua avó. Você gosta do internato?

— Não, odeio. Odeio ter que estar longe o tempo todo. E sou a mais nova; não há ninguém mais novo que eu, não como interno. Há meninas externas, mas elas são todas amigas e fazem coisas juntas nos fins de semana, e elas não gostam de mim. Queria ser externa também, mas a mamãe disse que era muito melhor ser interna. Não consigo entender por que é melhor. Eu acho muito pior.

— Então você não se importaria muito se não voltasse para lá?

Charlotte considerou a possibilidade, cautelosamente. Pela primeira vez um lampejo de esperança cruzou seu semblante. — Por quê? Eu não tenho que ir?

— Não. Eu não acho que você tenha que ir. Se você vai morar comigo, seria muito mais fácil para todos nós que você freqüentasse a escola local. Ninguém é interno lá, e eu acho que você ia gostar.

— Não sou muito boa nos deveres.

— As pessoas não podem ser boas em tudo. Você é

boa em desenhar e criar coisas. E se você gosta de música, eles têm um professor de música muito bom, com orquestra, concertos e tudo. Conheço um garoto, ele é da sua idade, que toca clarinete.

— Eu posso ir para lá?

— Se você quiser, acho que isso pode ser arranjado.

— Eu quero, sim.

— Então você vai ficar comigo?

— Você quer dizer... nunca mais voltar para o papai?

— Sim — confirmou Phoebe gentilmente. — Talvez seja isso mesmo o que quero dizer.

— Mas... você acabou de dizer... disse que nada é para sempre. — Seus olhos estavam se enchendo de lágrimas, e era muito doloroso, quase demais, ver isso. — Eu não posso ficar com você...

— Sim, você pode. Pelo tempo que quiser. Como pode ver, apesar de o pior ter acontecido, o mundo não acabou. Você pode falar tudo, para Prue e para mim. Não precisa mais guardar tudo para você. Não precisa continuar tentando ser valente. Não faz mal chorar...

Foi uma verdadeira explosão de lágrimas, incontrolável. A boca de Charlotte ficou quadrada, do jeito que ficam as bocas de todas as crianças quando choram, porém os soluços que sacudiam seu pequeno corpo mais lembravam a dor sofrida de um adulto.

— Oh, Charlotte...

Phoebe inclinou-se para a frente na cadeira, os braços — o bom e o imobilizado no aparelho de gesso — estendidos, em um convite aberto para o conforto e o amor. Em qualquer outro momento o efeito desse gesto tipicamente expansivo poderia ter sido cômico, mas não era nem um pouco engraçado agora — ... venha cá, minha querida.

E Charlotte rastejou até os seus pés e atirou-se ao seu colo reclinado, enlaçando os braços fortemente em torno do pescoço de Phoebe, enterrando o rosto em seu ombro, empurrando seu chapéu para o lado.

Apanhei as vagens e a caçarola, e entrei. Porque esse momento era só delas. Porque ela era filha de Daniel. E porque achei que ia começar a chorar também.

A cozinha estava vazia. Pela porta dos fundos aberta pude ver Lily no pátio de secar roupas, tirando do varal uma fila de toalhas de chá, brancas como neve. Ela agora cantava outro hino.

Não cometerás ações pecaminosas
Não proferirás palavras raivo-osas.

Coloquei as vagens e a caçarola na ponta da mesa de pinho escovada e subi para o meu quarto. Tinha feito minha cama esta manhã, mas desde então Lily já havia, como diz, acabado o quarto, o que significava um forte cheiro de cera de assoalho e tudo sobre a minha penteadeira arrumado em linha reta. Sentei-me na beira da cama e pouco depois vi que, afinal de contas, não ia chorar. Mas sentia-me esgotada, desorientada, como se tivesse passado as últimas três horas em um cinema escuro, absorta em algum filme profundamente emotivo, e estivesse agora de novo na rua, ofuscada pela luz, avançando às cegas pela calçada desconhecida; incapacitada.

A mamãe não vai voltar de Maiorca, não é? O papai nunca me ouve, mesmo. Ele não ia querer cuidar de mim. Queria ser externa também, mas a mamãe disse que era muito melhor ser interna. Minha avó não me quis.

Oh, bom Deus, as coisas que fazemos às nossas crianças.

A janela estava aberta, e as cortinas revolviam-se com a brisa quente. Levantei-me da cama, fui até a janela e me inclinei para fora, com os cotovelos no peitoril. Na grama, abaixo de mim, Phoebe e Charlotte ainda estavam sentadas. As lágrimas pareciam ter cessado, e agora tudo o que se podia ouvir era o amistoso murmúrio da conversa delas. Charlotte estava de volta sobre o tapete, com as pernas cruzadas, concentrada em fazer um colar de margaridas. Olhei para a sua cabeça curvada, sua nuca vulnerável. Lembrei de mim mesma na sua idade. Meus pais eram divorciados e eu morava com minha mãe, mas nunca deixei de ser amada, nunca deixei de ser querida e nunca fui despachada para internatos. Lembrei das viagens que fazia a Northumberland para ficar com meu pai, rezando para o trem ir cada vez mais rápido enquanto seguíamos como um foguete para o norte. Lembro-me de encontrá-lo me esperando na estação de Newcastle e de sair correndo pela plataforma para ser engolida por seu abraço vigoroso, cheirando a *tweed*.

Lembro-me da casinha de minha mãe em Londres, do quarto que havia decorado para mim exatamente do jeito que eu queria. As roupas que comprava para mim, roupas que eu mesma podia escolher. O prazer que eram as aulas de dança no inverno e as festas de Natal; as idas às pantomimas no Palladium e a *Bela Adormecida* no Covent Garden.

Lembro-me das compras que fazia no Harrod's, do tédio de comprar os uniformes de escola recompensado pelo tratamento a *milk-shake* de chocolate na lanchonete. E os passeios de verão, descendo o Tâmisa de barco, com um grupo de amiguinhos, e toda a excitante antecipação de uma visita à Torre de Londres.

E sempre a Cornualha e Penmarron. E Phoebe.

Oi, minha querida, como é bom ver você novamente.

Phoebe. Fui preenchida repentinamente por uma indescritível apreensão por ela. O que havia ela assumido, tão impulsivamente, tão amorosamente? Ela tinha sessenta e três anos e já havia caído de uma cadeira roída por vermes e quebrado o braço. E se não tivesse simplesmente quebrado o braço, mas o quadril, ou o pescoço? E se tivesse batido a cabeça e ficado lá esticada, no chão do estúdio, com uma concussão, sem ninguém saber ou procurar por ela? Minha imaginação fugiu dessa idéia, mas imediatamente engendrou imagens alternativas ainda mais horrorosas.

Imaginei Phoebe dirigindo seu carro velho. Ela nunca o fazia com muita atenção, já que sempre se distraía com tudo que acontecia nas estradas e ruas por onde rodava, freqüentemente do lado errado da pista, acreditando que, desde que continuasse a tocar a buzina, nada de muito dramático poderia acontecer.

E se ela tivesse um ataque cardíaco e morresse? Acontecia com outras pessoas; por que não poderia acontecer com Phoebe? E se em um dia de verão ela fosse nadar além do quebra-mar, como gostava de fazer, mergulhasse, usando seu traje de banho antiquado e sua touca de plástico, e não subisse mais? As fatalidades possíveis pareciam não ter fim; se alguma coisa acontecesse a Phoebe, quem iria cuidar de Charlotte? Mais uma vez minha mente disparou, procurando uma solução para aqueles problemas hipotéticos.

Quem ficaria com ela? Eu? Em um apartamento de subsolo em Islington? Minha mãe? Ou quem sabe meu pai? Ele é o tipo de homem que acolheria qualquer cão coxo. Tentei imaginar Charlotte no Windyedge, mas por alguma razão nada se encaixava bem. Minha jovem madrasta receberia bem qualquer criança que montasse seus cavalos, tirasse estrume do estábulo, limpasse os arreios e saísse para caçar, mas pouco teria em comum com uma garotinha que só queria tocar clarinete e desenhar.

Esses pensamentos sombrios poderiam ter continuado para sempre, mas naquele momento fui trazida de volta à realidade pelo barulho do trem da manhã de Porthkerris, chocalhando pelo corte atrás da casa. Apareceu buliçosamente dobrando a curva da linha única para deter-se na parada, parecendo um trem de brinquedo, do tipo em que se dá corda com uma chave. Ficou lá por um momento, e então alguém soprou um apito e agitou uma bandeira verde, e ele entrou em movimento, afastando-se da estação e deixando atrás de si na plataforma vazia uma única figura solitária.

Daniel. Vindo para o piquenique.

Assim que a linha ficou liberada, pulou sobre ela, atravessou-a, saltou uma cerca e começou a andar pela trilha, passando pelo pequeno ancoradouro onde os barcos a vela balouçavam-se com a maré alta, lançados contra o antigo quebra-mar. Usava uma calça *jeans* azul, um suéter azul-marinho e um guarda-pó branco de lona.

Observei sua aproximação, caminhando a passos largos, as mãos nos bolsos, e rezei para que fosse o tipo da pessoa a quem eu pudesse ir correndo com todos os meus problemas, assim como corria para os braços de meu pai na Estação de Newcastle. Eu queria ser abraçada, reconfortada, amada. Queria despejar para ele tudo o que ocorrera naquela manhã interminável e ouvir que nada disso importava, que eu não tinha que me preocupar mais com isso, que ele resolveria tudo...

Mas Phoebe, que amava Daniel, era mais sábia do que eu.

Confrontando-o com as decisões e responsabilidades do dia-a-dia, eu jamais consegui de fato prever qual seria a sua reação.

Não queria que ele fosse esse tipo de pessoa. Queria que ele assumisse. Que tivesse assumido. Observei-o chegando e me dei conta de que, se tudo o que estava acontecendo com todos nós fosse uma história inventada por mim, este momento seria, então, o começo do fim. Ele resolveria tudo, tomaria as decisões e faria planos. Visualizei um filme, em câmara lenta, foco nebuloso: Daniel entrando pelo portão da cerca de escalônias e subindo o gramado com passadas flutuantes. Abraçando Phoebe, levantando sua filha nos braços, pedindo-me para descer da minha janela a fim de planejarmos juntos o nosso futuro. Som de violinos. "Fim." Os créditos passando e todos vivendo felizes para sempre.

Não crie fantasias com relação a Daniel. Provavelmente elas nunca se tornarão realidade. E então, a realidade. Phoebe o levaria para um lado e relataria para ele, sem rodeios, o que havia acontecido. Nada mais de segredos, Daniel. Annabelle foi-se embora e ninguém mais quer a Charlotte. Ninguém mais quer a sua filha.

E ele? O que faria? Não queria pensar nisso. Não queria saber o que ia acontecer em seguida.

Ele saiu de vista, escondido pelo declive da encosta e pela cerca. Fechei a janela e voltei-me para o quarto. Vi meu reflexo no espelho da penteadeira e minha aparência estava tão abatida que passei os cinco minutos seguintes tentando melhorá-la. Lavei o rosto com uma flanela escaldante, esfreguei as unhas com o sabonete de essência de lavanda de Phoebe, escovei e penteei o cabelo. Peguei uma blusa de algodão limpa de uma gaveta, troquei os sapatos, maquiei-me e espargi perfume.

— Prue! — a voz da Charlotte.

— Estou aqui. No meu quarto.

— Posso entrar? — A porta se abriu, e seu rosto apareceu por trás dela. — O Daniel está aqui.

— Vi-o saltar do trem.

— Mas Phoebe o está levando para o estúdio. Ela disse que quer mostrar para ele alguma coisa que era do Chips. Disse que iam demorar uns dez minutos. Que cheiro bom!

— É Dior. Sempre uso. Quer uma borrifada?

— Não tem problema?

— Não, pode usar à vontade.

Ela borrifou um pouco da essência, cheirando o perfume com uma expressão de êxtase. Peguei meu pente e ajeitei o cabelo dela, endireitando o repartido e colocando de novo o prendedor de plástico.

Feito isso, sugeri: — Talvez devêssemos descer até a cozinha e começar a aprontar a cesta de piquenique. E seria uma boa idéia você pegar suas botas de borracha e um anoraque.

— Mas não vai chover hoje.

— Aqui é a Cornualha... você nunca sabe como é que o tempo vai ficar.

* * *

Assim, estávamos na cozinha quando Phoebe finalmente veio nos procurar. Eu a vi pela janela, caminhando vagarosamente pelo caminho de tijolos que vinha do jardim murado e do estúdio. Veio em direção a nós como uma pessoa idosa. Estava sozinha. Entrou pela porta do jardim e nos viu de pé, esperando por ela. Informou-nos que Daniel tinha ido embora. Que ele não ia poder, afinal, ir conosco para o piquenique. Que pedia desculpas.

— Mas ele prometeu... — Charlotte continuava dizendo, quase chorando — ele *disse* que viria...

Phoebe não olhou para mim.

Assim, nunca chegamos a ir a Penjizal. De alguma forma, àquela altura, nenhuma de nós tinha ânimo para ir a lugar nenhum. Comemos o piquenique ali mesmo, no jardim do Holly Cottage. Nunca vimos as focas.

Já era noitinha quando consegui estar a sós com Phoebe. Charlotte estava entretida com a televisão e encurralei minha tia perto da pia.

— Por que ele foi embora?

— Eu a avisei — disse Phoebe.

— Para onde ele foi?

— Não faço a menor idéia. Suponho que de volta para Porthkerris.

— Vou pegar o carro — declarei. — Vou vê-lo.

— Não faça isso.

— Por que não? Você não pode me impedir.

— Se você não pode evitá-lo, telefone primeiro. Fale com ele. Tenha certeza de que ele quer vê-la.

Fui direto ao telefone. É claro que ele ia querer me ver. Disquei o número do Hotel Castle; quando a moça da mesa telefônica atendeu, perguntei por Daniel Cassens. Mas ela me passou para a recepção, e uma voz de mulher me disse que o Sr. Cassens havia partido, pedira a conta sem deixar endereço de destino.

7

Lavei o cabelo de Charlotte e aparei as pontas desiguais com a tesoura de costura de Phoebe. Limpo, era castanho, rajado de inesperados tons de cobre.

Phoebe telefonou para o diretor da escola local e levou Charlotte para uma entrevista. Ela voltou para casa toda animada. Ganharia um uniforme novo, azul-marinho e branco. Eles tinham um torno de cerâmica na sala de artes. Ela ia aprender a tocar clarinete.

Assistimos, na televisão, uma menina bonita mostrando como se faz uma casa de boneca com caixas de papelão.

Fomos a Porthkerris, de carro, visitar o mercador de vinhos, e ganhamos quatro engradados pesados usados para transportar garrafas de uísque escocês. Compramos uma faca Stanley, latas pequenas de tinta e alguns pincéis. Compramos também tubos de cola. Chegamos em casa e começamos a medir e marcar a porta e as janelas. A cozinha ficou cheia de folhas de jornal, pedaços de cartolina e todas as ferramentas que havíamos comprado.

Estávamos agora numa noite de lua crescente. Ao leste, uma pestana prateada se pendurava no céu, e seu reflexo pálido boiava nas águas negras do estuário, afogando-se em rasgos de luz cintilante.

— Prue.

— O que é?

— Para onde foi o Daniel?

— Não sei.

— Por que ele foi embora?

— Também não sei.

— Ele vai voltar algum dia?

— Espero que sim. Algum dia.

— As pessoas sempre vão embora. As pessoas que eu gosto. Quando o Michael foi para a escola pela primeira vez, a casa ficou estranha sem ele. Toda quieta e vazia. E tive uma babá uma vez, quando eu era pequena, com uns seis anos. Eu gostava mesmo dela. Mas ela teve que ir embora para cuidar da mãe. E agora o Daniel foi embora.

— Mas você mal o conhece.

— Mas eu sempre ouvi falar dele. Phoebe costumava me contar tudo sobre ele. Ela me mostrava pedaços de jornal falando sobre ele, quando ele tinha exposições e coisas assim nos Estados Unidos. E ela me falava sobre ele.

— Mesmo assim, você mal o conhece. Só esteve com ele menos de um dia.

— Eu não queria que ele fosse embora. Não só pelo piquenique. Não só porque não vi as focas. A gente pode fazer isso a qualquer hora.

— Então, por quê?

— Queria contar umas coisas para ele, mostrar algumas coisas. Queria mostrar a casinha de bonecas. Queria *perguntar* umas coisas. O papai nunca tem tempo para responder direito se você faz uma pergunta a ele. E o Daniel não fala comigo como se eu fosse pequena, ele fala como se eu fosse adulta. Ele nunca ia dizer que você estava sendo chata ou que você era estúpida.

— Bem... talvez vocês tenham muito em comum. Vocês se interessam pelos mesmos tipos de coisas. Talvez seja por isso que se sinta tão próxima dele.

— Eu queria que ele voltasse.

— Ele é um homem ocupado. Um homem importante. E agora é famoso. Tem tantas coisas para fazer. E um artista é... diferente dos outros. Precisa de liberdade. É difícil para uma pessoa como o Daniel estabelecer raízes, ficar no mesmo lugar e com as mesmas pessoas o tempo inteiro.

— A Phoebe é uma artista e ela sempre fica no mesmo lugar.

— Phoebe é diferente, ela é especial.

— Eu sei. É por isso que gosto demais dela. Mas amo o Daniel também.

— Você não deve amá-lo demais, Charlotte.

— Por que não?

— Porque não é bom amar uma pessoa demais, se você pode nunca mais vê-la novamente... Oh, não comece a chorar. Por favor, não chore. Só que é verdade e não adianta nada ficarmos fingindo que não é.

Pintamos a porta de vermelho, as molduras das janelas de preto. Lily achou uma caixa de vestido velha, de cuja tampa fizemos o telhado. Marcamos a linha central e a dobramos em forma de triângulo. Pintamos tijolos.

* * *

Um dia em que chovia e ventava forte, Charlotte e eu caminhamos pelo campo de golfe em direção à praia. A areia voava por toda parte, e os vagalhões rolavam por uns oitocentos metros, ou mais, até morrerem na praia. Os juncos nas dunas se dobravam com o vento, e as gaivotas abandonavam a costa, voando para terra, planando e pipilando sobre os campos recém-arados.

Nenhuma carta chegou para Charlotte, nenhum cartão-postal da África do Sul. Soubemos, por Betty Curnow e Lily Tonkins, que a Sra. Tolliver fora passar uns dias com uma amiga em Helford. Com isto, foram três as pessoas que fugiram.

Construímos móveis de caixas de fósforo vazias para a casa de bonecas; pintamos um papel de parede. Saqueamos a sacola de trapos de Phoebe e fizemos tapetes de sobras de *tweed* com as beiras franjadas. "Igualzinho ao de verdade", disse Charlotte quando os colocamos no lugar; fechou a porta da casa de bonecas e aproximou o rosto da janela, adorando a pequenez de tudo, do pequeno e seguro mundo em miniatura.

Uma noite, Phoebe disse-me não agüentar ver-me tão infeliz, mas fingi que não tinha ouvido, pois não queria falar sobre Daniel.

Ele tinha ido embora. De volta à sua vida nômade, irrequieta, sempre à procura de alguma coisa. De volta à sua pintura, à sua exposição, a Peter Chastal. Talvez, a essa altura, de volta aos Estados Unidos. Bem mais tarde, quando ele se sentir capaz, talvez me mande um cartão-postal. Visualizei-o, escorregando para dentro da minha caixa de correio, na porta da frente do apartamento em Islington. Uma foto colorida brilhante da Estátua da Liberdade, ou, quem sabe, da ponte Golden Gate, ou então do Fujiyama.

"Estou me divertindo muito, queria que estivesse aqui. Daniel."

Havia um futuro. Meu futuro. Meu emprego, meu apartamento, meus próprios amigos. Voltaria a Londres e pegaria o fio da meada novamente. Mas sozinha, como nunca o fora antes.

Tive o sonho de novo, o sonho da natação. Foi o mesmo que antes. Primeiro a água rasa, e então funda e quente. A correnteza forte. A sensação de ser arrastada por essa correnteza, não lutando contra ela, mas aceitando-a. Não morrendo, eu tenho a lembrança de mim mesma no final do sonho. Não morrendo, porém amando. Mas, então, por que acordei com lágrimas rolando em minha face?

Os dias que se sucediam perderam o nome, assim como perdi toda a noção da passagem deles. Então, de repente era terça-feira, hora de voltar à vida prática. Phoebe havia decidido na noite anterior que eu as levaria de carro, a ela e a Charlotte, até Penzance, onde compraríamos o novo uniforme branco e azul-marinho. Talvez, para festejar, almoçássemos em um restaurante ou fôssemos até o porto ver se o vapor das Ilhas Scilly estava lá.

Mas esses planos não se realizaram, pois bem cedo naquela manhã Lily Tonkins telefonou para dizer que Ernest, seu marido, havia ficado doente. Phoebe atendeu a ligação, e Charlotte e eu ficamos por perto ouvindo a voz que grasnava da linha.

— A noite inteira acordada — dizia Lily a Phoebe.

— Meu Deus! — Phoebe exclamou.

Lily entrou em detalhes. O rosto de Phoebe assumiu uma expressão de horror: — Meu *Deus!* — Depois disso, imediatamente concordou que de forma alguma Lily deveria abandonar seu marido doente antes que o médico o visitasse. Desligou o telefone. Lily não viria trabalhar hoje.

Rapidamente mudamos nossos planos. Eu ficaria no Holly Cottage para fazer um arremedo do serviço da casa e preparar o almoço, e o Sr. Thomas, com seu fiel táxi, seria chamado para fazer a viagem a Penzance com Phoebe e Charlotte.

Charlotte ficou um pouco contrariada com isso.

— Pensei que íamos almoçar em um restaurante.

— Não teria graça sem Prue — retrucou Phoebe sem rodeios. — Faremos isso outro dia, quando eu tiver que ir falar com o gerente do banco ou precisar cortar o cabelo.

Deu-se o devido telefonema, e o Sr. Thomas apareceu em dez minutos com o chapéu de chofer na cabeça e as rodas do carro incrustadas de estrume de porco. Phoebe e Charlotte entraram no táxi; acenei despedindo-me e então voltei para dentro para tratar dos afazeres domésticos matinais.

Não eram muito árduos. Lily limpava a casa todo o dia com tanto cuidado que, depois de ter feito as camas, lavado o banheiro e retirado as cinzas da lareira da sala de estar, tudo parecia mais ou menos como de costume. Entrei na cozinha, fiz uma xícara de café e comecei a descascar batatas. Era um dia cinzento, silencioso, com chuva no ar.

Ao terminar as batatas, calcei um par de botas de borracha e desci até a horta para colher uma couve-flor. Ao retornar, ouvi o barulho de um carro descendo a estrada em direção à casa. Olhei para o relógio e vi que só se tinha passado uma hora desde que Phoebe e Charlotte saíram. Não era possível que a expedição de compras tivesse acabado tão cedo.

O carro passou por cima da ponte ferroviária, e foi então que tive a certeza de que vinha para o Holly Cottage, pois éramos a última casa da estrada, que terminava, sem saída, em frente aos portões de ferro do antigo estaleiro trancados a cadeado.

Corri para dentro. Na cozinha, deixei a faca e a couve-flor no escorredor e, em seguida, ainda usando minhas botas e o avental de Lily, atravessei o saguão e saí pela porta da frente.

Lá, sobre o cascalho, estava estacionado um carro desconhecido. Um Alfa-Romeu, comprido e aerodinâmico, verde-escuro e empoeirado da viagem. A porta do motorista já estava aberta e, sentado atrás do volante, fitando meu rosto, estava Daniel.

Naquela manhã quieta, enevoada, havia poucos sons. Então, de muito longe, ouvi os gritos de algumas gaivotas que voavam baixo sobre as areias desertas do estuário. Lentamente, ele saltou do carro e se endireitou com cautela, arqueando as costas e erguendo uma mão para massagear a nuca. Estava usando o seu estranho conjunto de roupas habitual, e seu queixo trazia a sombra escura da barba por fazer. Bateu a porta do carro atrás de si, que fechou com um baque surdo e sólido, com jeito de caro. Ele disse o meu nome.

Isto provou que era verdade. Ele não estava em Londres. Não estava em Nova Iorque. Não estava em São Francisco. Estava aqui. De volta. Em casa.

— O que está fazendo? — perguntei.

— O que acha que estou fazendo?

— De quem é esse carro?

— Meu. — E começou a andar rigidamente em minha direção.

— Mas você odeia carros.

— Eu sei, mas é meu, assim mesmo. Comprei-o ontem. — Chegou ao meu lado, pôs as mãos em meus ombros, inclinou-se e beijou-me na face, arranhando-me a pele com seu queixo áspero. Olhei para ele. Seu rosto estava descorado, empalidecido pelo cansaço, porém seus olhos brilhavam como se por trás deles estivesse rindo secretamente de alguma coisa.

— Você está usando o avental de Lily.

— Ela não está aqui. Ernest está doente. Você não se barbeou.

— Não tive tempo. Saí de Londres às três horas da manhã. Onde está Phoebe?

— Ela e Charlotte saíram para fazer umas compras.

— Você não vai me convidar para entrar?

— Sim... sim, é claro. Desculpe. É que você era a última pessoa que eu esperava ver. Venha. Vou fazer-lhe um café, ou ovos com *bacon* se quiser comer alguma coisa.

— Café está ótimo.

Entramos. A casa parecia quente, em contraste com a umidade gelada do lado de fora. Segui à frente pelo saguão e ouvi-o fechar a porta atrás de nós. Chegando à cozinha, vi a couve-flor e a faca perto da pia, onde as havia deixado, e, por um instante, tão desorientada estava, fiquei me perguntando o que é que eu pretendia fazer com elas.

Enchi a chaleira elétrica, liguei sua tomada e coloquei-a para funcionar. Ao virar-me, vi que Daniel puxara uma cadeira e sentara-se na cabeceira da longa mesa de pinho, escovada e lavada. Tinha um cotovelo sobre a mesa e esfregava os olhos com a mão, como se fosse possível apagar o cansaço.

— Acho que nunca dirigi tanto e nem tão depressa em toda a minha vida — declarou. — Afastou a mão do rosto e olhou para mim, e eu havia me esquecido do negrume de seus olhos, das pupilas redondas e escuras como azeitonas pretas. Parecia ainda exausto, mas havia algo mais em sua expressão, uma animação, talvez, que eu não conseguia compreender, pois ainda não tinha visto isso nele antes.

— O que o levou a comprar um carro? — perguntei.

— Queria voltar para vocês, e este pareceu o meio mais rápido.

— Já descobriu como funciona o aquecedor?

Não foi uma grande piada, mas ajudou a quebrar a tensão.

Sorriu. — Ainda não. Como lhe disse, só estou com ele há um dia. — Cruzou os braços sobre o tampo da mesa. — Phoebe me contou, você sabe — comentou. — Sobre a Annabelle, Leslie Collis e a Sra. Tolliver.

— É, eu sei.

— E Charlotte.

— Sim.

— Ela ficou desapontada por causa do piquenique?

— Ficou.

— Eu não podia ficar, Prue. Tive que ir embora. Sozinho. Você entende?

— Aonde você foi?

— Voltei para Porthkerris. Fui andando, por cima das dunas e em torno dos penhascos. Quando cheguei no Hotel Castle, arrumei minha mala sem uma idéia clara do que ia fazer em seguida. Mas então, quando a mala já estava pronta, peguei o telefone e liguei para Lewis Falcon. Estava pretendendo entrar em contato com ele desde que chegara aqui, mas de alguma forma, com uma coisa e outra nunca cheguei a fazê-lo. Ele foi ótimo. Disse a ele quem era eu e que nunca nos havíamos encontrado. E ele falou que sabia quem eu era, porque tinha ouvido falar de mim pelo Peter Chastal, e perguntou por que não ir até Lanyon para visitá-lo. Então respondi que faria isso, mas o que estava mesmo precisando era de uma cama por umas noites, e ele disse que eu podia contar também com isso. Então fechei a conta e chamei um táxi para me levar até Lanyon.

"Ele é um homem maravilhoso. Imensamente simpático, nem um pouco intrometido. Com ele, descobri que podia me desligar; como se estivesse descendo uma enorme cortina de segurança à prova de fogo entre mim e tudo o que Phoebe me havia contado. O sétimo véu da psicanálise, talvez. Ele me mostrou seu estúdio e demos uma olhada em sua obra, falamos de trabalho como se nada mais existisse para nós.

"Isso foi bom por alguns dias e então tomei consciência de que tinha que voltar para Londres. Portanto, ele me levou de carro até a estação e peguei o trem da manhã.

"Ao chegar em Londres fui até a galeria visitar Peter. Eu estava ainda naquele estado de espírito especial... era como estar isolado da realidade. A cortina ainda estava descida e sabia que Annabelle e Charlotte se encontravam por trás dela, mas temporariamente elas tinham simplesmente deixado de existir e só me restava levar a minha vida normal, como se nada tivesse acontecido. Não disse nada a Peter sobre elas. A exposição ainda continua, a galeria está ainda cheia de visitantes. Sentamos em seu escritório, comemos sanduíches, tomamos um copo de cerveja e ficamos vendo-os através do vidro da porta como se fossem peixinhos dourados em um aquário. Eram as minhas pinturas que eles estavam admirando, mas não conseguia me relacionar nem com os quadros nem com eles. Tudo isso parecia nada ter a ver comigo.

"Então deixei Peter, saí e comecei a andar. Era uma tarde linda. Caminhei quilômetros pelo aterro, até que num dado momento reparei que havia chegado ao Millbank e que estava em frente à Galeria Tate. Você conhece o Tate?"

— Sim.

— Costuma ir lá?

— Freqüentemente.

— Conhece a coleção Chantrey?

— Não.

— Subi os degraus e entrei na galeria. Dirigi-me para a sala onde está exposta a coleção Chantrey. Há um quadro lá de John Singer Sargent. É um óleo. Bastante grande. Duas menininhas em um jardim à noite, acendendo lanternas japonesas. Estão usando vestidos brancos com golas de babados. Há lírios e rosas crescendo. Chama-se *Lírio Encarnado, Rosa Branca.* Uma das menininhas tem o cabelo curto e escuro, e o pescoço muito fino, de um branco suave, como o caule de uma flor. Poderia ser Charlotte.

"Não sei por quanto tempo fiquei lá. Mas pouco depois, muito lentamente, percebi que aquela cortina de segurança estava subindo e pouco a pouco eu estava sendo inundado de... instintos extraordinários, que nunca suspeitara possuir. Ternura. Desejo de proteger. Orgulho. E então raiva. Comecei a ficar com raiva. De todos eles. De Annabelle, de seu marido e de sua mãe. Mas acima de tudo com raiva de mim mesmo. Mas que diabos estava eu fazendo, perguntei-me, já que ela era minha filha e eu o seu pai, que droga. Que diabos estava eu fazendo, descarregando toda a minha responsabilidade sobre Phoebe? A resposta era dolorosamente simples. Eu estava lá sem fazer nada, como o estivera fazendo nos últimos três dias. Pique no lugar, costumávamos dizer na escola. Chegando a lugar algum. Alcançando absolutamente nada.

"Deixei o quadro, fui para o andar de baixo e encontrei um telefone. Liguei para Informações e consegui o número da Sra. Tolliver. Então telefonei para a White Lodge. A Sra. Tolliver não estava..."

— Ela está visitando uma amiga em Helford — informei a ele, mas foi o mesmo que nada ter dito.

— ... mas a governanta atendeu, e eu disse a ela que era um amigo de Leslie Collis, que queria entrar em contato com ele e se era possível ela me dar o nome da firma em que ele trabalha na cidade.

A chaleira estava fervendo, mas ambos parecíamos ter esquecido do café. Desliguei-a e fui puxar uma cadeira para me sentar na outra extremidade da mesa, de modo que Daniel e eu nos encarássemos através da comprida extensão de seu tampo bem esfregado.

— Daí, outro telefonema. Liguei para Leslie Collis. Disse que queria vê-lo. Ele começou dizendo que não era conveniente, mas insisti que era urgente, de modo que ele finalmente disse que me daria uns quinze minutos se eu pudesse ir imediatamente.

"Saí do Tate, peguei um táxi e fui para o seu escritório.

A cidade estava bem bonita. Tinha me esquecido de como é bonita, com todos aqueles prédios austeros, ruas estreitas e, em toda parte, vislumbres rápidos e inesperados de St. Paul's. Algum dia voltarei lá para fazer uns desenhos..."

As palavras morreram. Ele havia perdido o fio do que me estava dizendo.

— Leslie Collis — lembrei suavemente.

— Sim, claro. — Levantou a mão e correu os dedos pelos cabelos. Começou a rir. — Foi um encontro completamente ridículo. Em primeiro lugar, eu estava com uma aparência ainda mais questionável do que de costume. Veja só, acho que não tinha feito a barba, estava com a camisa que tinha usado no trem e um par de tênis com furos nos dedos. Ele, por outro lado, estava esplendoroso em seu uniforme de cidade, colarinho engomado e terno riscado de giz. Formamos a mais incongruente das duplas de antagonistas. De qualquer forma, sentei-me e comecei a falar, e logo que mencionei a Sra. Tolliver e Charlotte, ele concluiu imediatamente que eu tinha vindo para chantageá-lo, e pôs-se de pé, gritando comigo, ameaçando chamar a polícia. Aí eu comecei a gritar também, apenas para tentar ser ouvido; por alguns instantes foi um pandemônio total, um acusando o outro, reivindicando responsabilidades, negando responsabilidades, culpando um ao outro, culpando Annabelle.

"Mas finalmente, justamente quando eu pensei que ele ia despencar com um ataque cardíaco e me deixar com um cadáver nas mãos e tudo o mais, passou pela cabeça dele que eu não era um vilão que tinha vindo para extorquir seu dinheiro. Depois disso as coisas melhoraram um pouco. Sentamo-nos novamente, ele acendeu um cigarro e começamos tudo de novo."

— Você não *gostou* dele, não foi?

— Por quê? Você não gostou?

— Quando o vi aquela manhã no trem, achei-o horrível.

— Ele não é tão mau assim.

— Mas dizer que não quer Charlotte de volta…

— Eu sei. Isso é sórdido. Mas, de certa de forma, entendo seu ponto de vista. Ele é um homem ambicioso. Trabalhou feito um burro de carga a vida toda para fazer muito dinheiro e concretizar suas ambições. Acho que ele adorava mesmo Annabelle. Mas devia ter sabido o tempo todo, desde o começo, que ela jamais lhe conseguiria ser fiel. Mesmo assim, ficou com ela, deu-lhe tudo o que ela queria, comprou a casa em Sunningdale para que o garoto pudesse crescer no campo. Ela tinha carro próprio, empregada, jardineiro, férias na Espanha, liberdade total. E ele não parava de dizer "Dei tudo a ela. Eu dei de tudo mesmo a essa mulher".

— Ele sabia desde o começo que Charlotte não era filha dele?

— Sim, é claro que sabia. Ele não tinha estado com Annabelle havia três meses e então ela volta da Cornualha dizendo estar grávida. Isso é um bom chute no saco para qualquer homem que tenha amor-próprio.

— Por que ele não terminou tudo, então?

— Ele queria manter a família unida. É devotado ao filho. Não queria humilhar-se diante dos amigos.

— Contudo, jamais gostou de Charlotte.

— É difícil culpá-lo por isso.

— Ele disse que não gostava dela?

— Mais ou menos. Disse que ela era manhosa. Que contava mentiras.

— Se ela fazia isso, a culpa era dele.

— Foi o que eu disse a ele.

— Isso deve ter-lhe assentado muito bem.

— Ah, até que ele recebeu bem, sim. Àquela altura tínhamos já chegado ao estágio em que todas as cartas estavam na mesa e podíamos afrontar um ao outro o quanto quiséssemos, sem nos ofendermos ou nos sentirmos ofendidos. Era quase como se tivéssemos ficado amigos.

Era difícil de imaginar. — Mas sobre o que vocês *falaram*?

— Falamos sobre tudo. Contei-lhe que Charlotte ia ficar com Phoebe e no fim ele acabou admitindo ser grato por isso. E também gostou muito de saber que ela não iria voltar para aquela escola. Annabelle é quem a havia escolhido para a filha, mas em sua opinião nunca estivera à altura das somas pesadas que tinha que pagar a cada período. Perguntei sobre o garoto Michael, mas Collis parecia pensar que ele não era problema. Já tem quinze anos e é aparentemente maduro, bem capaz de cuidar de si mesmo, fazer suas próprias coisas. Acho que o sentimento geral era que ele havia amadurecido mais que a mãe e, considerada a forma como ela estava se portando, estaria melhor longe de sua influência. Leslie Collis vai vender a casa do interior e arranjar um lugar em Londres. Ele e o garoto vão viver lá, juntos.

— Sinto pena de Michael.

— Também sinto pena dele. Tenho pena de todos que estão metidos nessa confusão desgraçada. Mas acredito que ele vai estar bem. O pai o admira profundamente, e eles parecem ser muito amigos.

— E quanto a Annabelle?

— Leslie falou com o advogado dele, e o processo do divórcio já está em andamento. Ele não é o tipo de pessoa que deixa as coisas para outro dia.

Esperei que continuasse, mas não o fez; então eu disse: — O que nos leva de volta à estaca zero. O que vai ser de Charlotte? Ou vocês não falaram sobre ela?

— Claro que falamos sobre ela. Esse foi o objetivo de toda essa confusão.

— Ele sabe que você é o pai dela?

— Claro, esta foi a primeira coisa que lhe disse. E ele não a quer de volta.

— E quanto a Annabelle? Como ela se sente em relação à filha?

— Ela também não a quer e, mesmo que quisesse, acho que Leslie Collis não permitiria que ela ficasse com a filha. Chame de dourar a pílula, se quiser, mas é a melhor coisa que poderia ter acontecido a Charlotte.

— Por quê?

— Porque, minha querida Prue, se Leslie Collis não quer Charlotte, e Annabelle também não, o caminho está livre para que eu a adote.

Permaneci imóvel como uma pedra, olhando para ele, incrédula, sem acreditar.

— Mas eles não vão deixar.

— E por que não?

— Você não é casado.

— A lei mudou. Agora uma pessoa solteira pode fazer uma adoção. Demora mais para ser legalizada; há obviamente um pouco mais de burocracia a ser enfrentada, mas acaba sendo perfeitamente possível. Supondo, é claro, que Annabelle concorde, e eu honestamente não vejo motivo para que não o faça.

— Mas você nem tem casa. Não tem onde morar.

— Sim, tenho. Lewis Falcon foi para o sul da França para trabalhar lá por alguns anos, e disse que me alugaria sua casa em Lanyon e o estúdio, se eu quisesse. Então estarei por perto. Não acredito que Charlotte possa morar comigo enquanto a adoção não estiver legalizada, mas espero que Phoebe possa continuar sendo sua mãe adotiva oficial até então.

— Parece... Oh, Daniel, parece bom demais para ser verdade.

— Eu sei. E como disse, a coisa mais extraordinária foi que, ao final de tudo isso, era quase como se Leslie Collis e eu tivéssemos ficado amigos. Parecia que nos entendíamos. Finalmente fomos almoçar juntos, em um lugar malajambrado onde nenhum de seus colegas pudesse vê-lo com um sujeito malvestido como eu. E, ao terminarmos a refeição, teve lugar outra pantomima ridícula, quando ambos tentamos pegar a conta. Nenhum dos dois queria ficar devendo nada ao outro. Por fim dividimos a despesa, e cada um pagou a metade. Saímos então do restaurante, despedimo-nos e prometi manter contato. Ele foi de volta a pé para o escritório, e eu peguei um táxi e voltei para a galeria, para falar com Peter Chastal.

"Eu sabia que tinha que arranjar um bom advogado, e nunca tive nem mesmo um ruim, pois Peter sempre fez tudo para mim. Nunca tive também contador, gerente de banco e nem agente. Peter sempre cuidou de tudo, desde aquele primeiro dia que fui a seu encontro, jovem e inexperiente, encaminhado por Chips. Ele foi maravilhoso. Colocou-me em contato com o seu próprio advogado, fez um levantamento de quanto dinheiro eu tinha disponível, e que é dez vezes mais do que eu imaginava, e então me disse que já estava na hora de me enquadrar nessa nova imagem de homem de família, superar meu horror a qualquer coisa mecânica e comprar um carro. Então saí e comprei. Mais tarde, Peter e eu jantamos juntos, e depois disso cheguei à conclusão de que não podia esperar nem mais um minuto para ver vocês; portanto, entrei no carro e vim de volta para a Cornualha.

"E agora Phoebe e Charlotte nem estão *aqui*". — Eu não poderia suportar ouvir isso dele.

Mas ele apenas disse: — Estou feliz que elas não estejam aqui. Pois a coisa mais importante que tenho para contar diz respeito a você. Na verdade, não é bem contar e sim perguntar. Vou para Grécia. De férias. Daqui a uns dez dias. Eu lhe falei sobre a tal casa em Spetsai e já a convidei para vir comigo, mas agora estou convidando de novo. Tenho dois lugares reservados em um vôo para Atenas. Se Lily e Phoebe puderem tomar conta de Charlotte, você virá comigo? — A casa em forma de cubo de açúcar que eu tinha dito a mim mesma que jamais veria. O terraço caiado de branco com gerânios e o barco que tinha a vela que parecia uma asa de gaivota. — Venha comigo, Prue.

Minha mente projetou-se à frente. Teria que tomar providências, acertar algumas coisas, avisar às pessoas. Minha mãe. Marcus Bernstein. E, de alguma forma, teria que escrever uma carta para o pobre Nigel Gordon.

— Sim — respondi.

Nossos olhos se encontraram através da mesa e assim se mantiveram. De repente, ele sorriu e disse: — Como nos conhecemos pouco. Foi você quem disse isso, ou fui eu?

— Foi você.

— Depois de duas semanas na Grécia nos conheceremos bem melhor.

— Sim, espero que sim.

— E depois disso — depois de voltarmos para casa — talvez pudéssemos pensar em ir juntos para Lanyon. Teríamos que nos casar primeiro, mas não precisamos pensar nisso agora. É melhor assim. Afinal de contas, nenhum de nós dois está querendo se comprometer, não é mesmo?

Eu sabia que não havia nada que eu quisesse mais. E do jeito que ele me olhava, tive a nítida idéia de que ele também se sentia assim.

Sorri também: — Não — assenti. — Nós não queremos nos comprometer.

Quando o táxi do Sr. Thomas voltou trazendo Phoebe e Charlotte com todas as suas compras, ainda estávamos na cozinha, embora não mais sentados cada um em uma cabeceira. Escutamos o velho veículo chegar rangendo pela estrada, e saímos juntos para recebê-los.

O Sr. Thomas ficou atrapalhado com o carro de Daniel, que, inesperadamente estacionado em frente à casa, deixou-o sem espaço para fazer a manobra. Phoebe já estava fora do táxi, dramática em sua melhor capa de *tweed* marrom, tentando orientá-lo.

— Agora para a esquerda, Sr. Thomas. Não, quero dizer, para a direita...

— Phoebe... — disse Daniel.

Ela se virou e o viu:

— *Daniel*!

O Sr. Thomas e seus problemas foram deixados de

lado. Desgostoso, desligou o motor e ficou lá, se remoendo, preso, com o radiador de seu carro colado com o de Daniel, as rodas traseiras imprensadas contra o meio-fio de tijolos vermelhos que protegia a fachada da casa de Phoebe.

Daniel foi encontrá-la no meio do caminho. Abraçaram-se por um longo tempo, e seu chapéu caiu para um lado.

— Seu bandido. — Ela batia carinhosamente em seu ombro com o punho bom. — Por onde você tem andado?

Mas não lhe deu tempo de responder, porque naquele exato momento ela me avistou, por cima do ombro dele, parada, com o avental de Lily e um sorriso no rosto que eu não conseguia evitar. Soltou Daniel e veio ao meu encontro, e embora não tivesse a menor idéia do que havia acontecido, do que estava acontecendo, vi a minha felicidade refletida em seu rosto; abraçamo-nos bem apertado e começamos a rir juntas, porque Daniel tinha voltado e de repente tudo estava absolutamente bem.

E Charlotte. Lembramo-nos de Charlotte na mesma hora. Olhamos e a vimos aprumando-se cautelosamente depois de descer da porta de trás do carro velho, os braços carregados com uma pilha mal-equilibrada de caixas e pacotes embrulhados. Eu sabia que ela nos havia observado e estava se retardando, provavelmente dizendo a si mesma que ela, Charlotte, não fazia parte desses reencontros carinhosos. Cuidadosamente, com o pé, fechou a porta do táxi. Ao se virar, com o queixo prensando o embrulho de cima, viu-se diante de Daniel. Lentamente seu rosto se inclinou para cima para encará-lo, sem piscar os olhos por detrás dos óculos de coruja. Entreolharam-se em silêncio. Então, Daniel sorriu e disse: — Olá, meu amor. Estou de volta.

Ele abriu bem os braços. Era tudo de que ela precisava.

— Oh, Daniel...

Os pacotes começaram a escorregar. Ela os deixou cair e atirou-se para cima dele. Ele a agarrou e a girou em seus braços, de um lado para o outro, e os pacotes ficaram esquecidos onde tinham caído, desordenadamente, sobre o cascalho

Impresso no Brasil pelo
Sistema Cameron da Divisão Gráfica da
DISTRIBUIDORA RECORD DE SERVIÇOS DE IMPRENSA S.A.
Rua Argentina 171 – Rio de Janeiro, RJ – 20921-380 – Tel.: 585-2000